杨红樱

非常校园系列

一颗有爱的种子，轻轻撒播，种植心田

成长的少年在此寻梦，天真的儿童踏进乐园

杨红樱的文字就是有这种魔力

为我们记录成长，留住美好童年

时光的力量虽强大，但总有一份爱像星辰闪耀

永不失落，温暖心间

......

非常女生

杨红樱 著

夏天岛／图

冉冬阳

欧亚菲

莫欣儿

罗莉娜

梅小雅

杨红樱

杨红樱,国内目前最畅销的童书作家,2000年以《女生日记》拉开"杨红樱校园小说系列"序幕,与其后的《男生日记》《五·三班的坏小子》《漂亮老师和坏小子》一起,在学生、老师和家长中产生了巨大反响。"淘气包马小跳系列"是目前中国孩子最喜爱的儿童读物,创下了令人瞩目的出版奇迹。长篇童话"笑猫日记"系列已成为持续数年的畅销品牌。

她平生最大的愿望就是破解童心,并多次被孩子们评为"我心中最喜爱的作家"。她的许多作品不仅给中国的小读者和大读者们带来快乐、智慧和感悟,还走向国际,给世界各地更多的小朋友带去中国孩子的童真童趣。

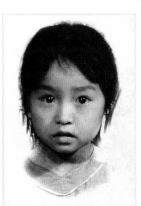

能让孩子找到心灵安慰
和成长力量的书以及能让孩子
快乐的书都是好书

成人世界对孩子而言,充满了困惑和不解
而他们自己的童心世界,又充满了想象力和求知欲
还有不能与成人分享、必须独自承受的成长和疼痛
这使他们的内心不得不长出许多的秘密

目录

MU LU

魅力女生

冉冬阳

双面女生

莫欣儿

两个小魔女

刘杨惠子　秦天月

侠义女生

戴安

樱桃地带

非常女生
FEICHANG NÜSHENG

之

魅力女生

冉冬阳

性格：温柔，善良，正直，乐于助人

家庭状况：有一个爱她的爸爸和妈妈，非常幸
福

最有创意的事：给爸妈做了一桌子的饭菜，尤
其是一道"翡翠龙眼"

最温馨的事：在母亲节送了十二朵粉红的康乃
馨给妈妈

最助人的事：帮助梅小雅一起勤工俭学；和吴
缅一起想法帮助梅小雅

魅力指数：☆☆☆☆☆

女孩子的秘密

吴缅和南柯梦是三天一大闹、两天一小吵，今天不知为了什么事，两人又吵了起来。下课的时候，南柯梦把吴缅刚买的一本电脑游戏书都撕了，吴缅气得也要去毁南柯梦的一样东西，他突然看见南柯梦坐的椅子上有血迹，还有几个同学也看见了，精豆豆还高声叫道："血！流血啦！"

听说有人流血，许多同学都围了过去。南柯梦捂住脸，趴在桌上哭了起来。

有同学问："是不是吴缅把南柯梦打哭了？"

听这话，吴缅的火气更大了："我碰都没碰她一下，血是她自己流出来的。活该，谁让你撕我的书，天理不容，老天爷都要惩罚你！"

"吴缅！"

几个女生大喝一声，我也很生气，觉得他太过分了。

莫欣儿拉了一下我的衣袖，在我的耳边说："南柯梦'那个'了。"

我明白莫欣儿说的"那个"是什么意思了。郝佳好像也明白了是怎么一回事，她走过来对我们说："你们把南柯梦扶到卫生间去，我去找罗老师。"

南柯梦还在哭，跟南柯梦同学五年，我还是第一次看见

她哭。她给人的印象从来都是骄悍的、强大的,经常跟男生战斗,也经常为弱小的女生打抱不平。现在她这个样子,我心里也酸酸的,对她充满了同情。

南柯梦把脸深深地埋起来,我凑在她耳边说:"南柯梦,你'那个'了,我们上卫生间吧!"

南柯梦不动,也不抬头,后来还是我和莫欣儿架住了她,向走廊尽头的卫生间走去。

"裤子!裤子!"沙丽尖叫着追上来,"裤子上有好大一块血迹。"我让沙丽快去找一条裤子来。

刚把南柯梦扶进卫生间,罗老师就来了,她笑吟吟地对南柯梦说:"恭喜!恭喜!"

我们不明白罗老师为什么要说"恭喜",好多女孩子都把这种事情看做是"倒霉事"呢。

罗老师说:"你们不要紧张,这是每一个女孩子都要经历的。在国外的一些地方,当女孩子月经来潮的时候,还要举行庆祝活动呢!"

听罗老师这么一说,南柯梦好多了,我们的心情也不是那么紧张了。

"来,用上这个。"

罗老师拿出一片卫生巾来,教南柯梦怎么用。

接下来要上的课是体育课,罗老师让南柯梦在教室里休息。

上体育课时,我们女生的眼睛老往教室里瞅,心里都牵挂着南柯梦,从来没有什么时候像现在这样关心她。

"不知现在南柯梦怎么样了?"

"不会还在哭吧?"

"一个人在教室里,会不会觉得孤单呀?"

我们都盼着下课铃响,好去陪南柯梦。

下课铃终于响了,我们女生都朝教室里跑去。

南柯梦像变了一个人似的,安安静静地坐在教室里,脸上也很平静。看见我们进来,她还笑了一笑,笑得有点羞涩,我心里纳闷:一个风风火火的假小子怎么一下子变得那么有女孩味儿了?

下午课间的时候,吴缅又像平时那样,大模大样地过来拿我的文具盒,他似乎对我的每样文具都感兴趣。

"不借!"

我狠狠地瞪了他一眼,一把把文具盒放进了书包里。

也许吴缅从来没遭到过我的拒绝,一时竟不知所措,讪讪地回到他的座位上。上课的时候,我看见他三次回过头来看我,一脸莫名其妙的表情。

下午放学,吴缅一直跟着我到车站。我知道他这个人个性特强,他绝不会不明不白地受我的气。

"你今天对我那样,是不是太过分了?"

"是我过分还是你过分?"

"我对你怎么啦?"

"不是对我,是对南柯梦。"

"你还冤枉我打她呀?"

"是你对她说的那句话。"

"哪句话？"

"你自己去慢慢想吧。"

"如果想不出来呢？"

"如果你不向南柯梦道歉，你就别想再借到我的任何一样东西。"

"不借就不借。"

吴缅转身就走，气得我在心里发誓：一辈子不理他。

穿衣服的诀窍

国庆节放假三天，今天是最后一天。

我要和妈妈上街买衣服，我们让爸爸跟我们一块儿去，给我们当参谋。爸爸说他要在家里修改一张设计图纸（实际上是他不想去，他最讨厌逛街），还说我和妈妈可以互相当参谋，买了衣服到他那里去报账。

"那我可以买一条名牌牛仔裤了！"我高兴地叫道，"妈妈，你买什么呢？"

"我买套装。"

"你还买套装呀？"在我的印象中，妈妈一年四季都穿套装，夏天穿薄套装，冬天穿厚套装，春天和秋天穿不厚不薄的套装。

妈妈说："我这个年龄不穿套装，你说我还能穿什么呢？"

"你试试穿休闲装。"

"穿休闲装?"妈妈笑了,"女儿,妈妈今年已经三十八岁了。"

我说:"美国原第一夫人希拉里已经四十八岁了,她也经常穿休闲装的。你等着,我拿一张图片给你看。"

我从我的剪报里找出一张希拉里的照片,这是我从一本彩色画报上剪下来的。希拉里站在一片绿色的草坪上,穿一件浅灰色的棒针毛衣,一条白色的长裤,脖子上系一条紫色的小丝巾,笑得十分自然和开心。虽然她的眼角已有很明显的鱼尾纹,但仍然给人一种朝气蓬勃的感觉。

妈妈和爸爸看了那张照片,看得出来,妈妈已经动心了,爸爸也说:"听我们女儿的,去买一套休闲装试试。"

我和妈妈来到休闲一条街。

这里整条街都是卖休闲服装的,店名也取得挺有休闲味儿,什么"花信风"、"矢车菊"、"独辫子"、"亮眼睛",店都不大,装修得也不豪华,但都有自己的特色,给人一种返璞归真的感觉。

在"独辫子"店里,我为妈妈选中了一条米色的丝麻长裤,妈妈试了试,很合身,两条腿显得十分修长。然后又在"亮眼睛"店里,选了一件浅褐色、上面镶有几何图案的线衫。这件衣服和那条米色长裤一搭配,哇,那效果真是绝了!

我把妈妈拉到试衣镜前:"你看看,是不是年轻了十岁?"

"这么说,你妈妈现在只有二十八岁了。"

看起来,妈妈对这套衣服十分满意。

接下来,该给我买牛仔裤了。这是我第一次买牛仔裤,

我一直觉得我的腿不够修长,看电视里的"美少女队"在台上又蹦又跳,她们的腿都那么好看,屁股圆圆的,也很好看,我想是不是因为她们穿了牛仔裤的原因,所以就有了想要一条牛仔裤的愿望。

我们逛了好几家,都没有看见满意的。最后在"花信风"店里,我看模特儿身上穿了一条牛仔裤,那臀部和腿部的线条,真是完美得无懈可击。我实在是太喜欢这条牛仔裤了,妈妈却没有多大的热情,她说:"穿在模特儿身上好看,不见得穿在你身上也好看。"

我不服气,坚持要试穿那条牛仔裤。

穿好了站在试衣镜前一照,怎么模特儿身上的效果在我身上一点儿都没有?那臀部和腿部的线条也都走了样。

后来又在其他店里试穿了几条,也都不合适。我彻底断了穿牛仔裤的念头。

"妈妈,是不是我的身材长得不好?"

"不是长得不好,是还没有长定型。"妈妈说,"你现在正在发育中,女性柔美的曲线还没长出来,所以你在挑选服装的时候,不能挑那些贴身的、显露曲线的。等长到十八岁后,身体的曲线长出来后,那时候你穿什么都好看。"

我心里虽然觉得妈妈说得对,但是没有吭声。

妈妈还在说服我:"再说,紧身牛仔裤的裤裆都比较浅,这对女孩子身体发育也不好。"

我对妈妈说,我不买牛仔裤了。妈妈却指着一条宽松式背带牛仔裤说:"我倒觉得你适合穿这条。"

这条口袋似的裤子使我哭笑不得，但我又不忍心扫妈妈的兴，只好拿到试衣间去试穿。

穿好了出来，往试衣镜前一站，哇，镜子里面有一个好活泼、好俏皮的女孩！

妈妈立即果断地买下了这条牛仔裤。

我和妈妈都穿着刚买的衣服、裤子，手牵着手走在街上，引来了好多人的目光。

回到家里，爸爸看见我和妈妈，眼睛倏地一下亮了。

"怎么样，爸爸？"

爸爸很满意："一个美丽的妈妈，一个美丽的女儿。"

今天买衣服的过程，给了我一个很重要的启示：只有适合自己的，才是最美的、最好的。

十二朵粉红的康乃馨

今天是冬至。也就是说,从今天开始,就进入隆冬了。

今天也是我的生日,太阳很好,这是一段阴冷日子中难得的艳阳天。十二年前的今天,一定也有这样的太阳。妈妈说,当她看见一道金色的阳光照耀在我刚出生的粉红色身体上,我的名字就在那一瞬间产生了——冬阳。我喜欢这个名字,冬天的太阳,明丽,温暖。

往年过生日,早上一醒来,就会想到今天是我的生日,爸爸妈妈会送我什么礼物呢?跟往年不同的是,今天早上一醒来我想的是,今天是妈妈的受难日,我应该送一样什么礼物给妈妈呢?

昨天,爸爸悄悄问我:"女儿,你想爸爸送一件什么礼物给你?"

本来,我一直想要一个随身听,可是听了妈妈讲生我的故事后,就改变了主意,我请求爸爸把钱给我,我自己去买一样喜欢的东西。爱偷懒的爸爸当然很乐意,当即很爽快地给了我一百元钱。

下午放学的时候,太阳已经西落,鲜红的夕阳在天边浓缩成一点,周围铺满了绚丽的晚霞。

我在街上走着,街上的行人稀少。冬至是一个节气,传说在这一天,喝了狗肉汤、羊肉汤,在整个冬天都不会觉得冷,所以人们都早早回家喝热汤了。

在冷落的小巷口,几点娇艳的粉红映入我的眼帘,这是妈妈喜欢的颜色!我惊喜地发现这是几枝康乃馨,正是送给母亲的花。我决定买粉红的康乃馨送给妈妈。

卖花的人问我买几朵,我想了想,我今年十二岁,就买十二朵粉红的康乃馨吧。可是,卖花的人说就只剩下五朵粉红的了,配几朵其他颜色的行不行?我摇头,坚持十二朵都要一色的粉红。

卖花的人说:"你只有到鲜花市场去买了,只是路要远一点。"路远不怕。我向卖花的人打听了路线,转了两次车,才在一家快打烊的花店,买到了十二朵粉红的康乃馨。

当我捧着鲜花回到家里的时候,天已经完全黑尽了,爸爸妈妈正在焦急地等着我。

"你到哪去了?"妈妈责怪道,"你忘了今天是你的生日?"

我说:"我没忘,我去给你买礼物了。"

"是你的生日,又不是我的生日,干吗给我买礼物?"

我向妈妈献上那束粉红娇艳的康乃馨:"妈妈,今天是我的生日,也是你的受难日。"

也许妈妈感到太惊讶了,她两眼直直地看着我,一时还没有反应过来。

"妈妈,你生我的时候辛苦了,这束花代表我对你的感激之情。从今以后,每一年的今天,我都要给你送上一束康乃馨,多少岁就送多少朵,一百岁的时候就送你一百朵。"

妈妈笑起来:"那我得准备一个特大号的花瓶。"

妈妈接过我送她的花,轻轻地拥抱了我。爸爸也走过来轻轻地拥住了我和妈妈。

"我们的女儿长大了。"

"是的,我们的女儿长大了。"

妈妈非常喜欢那十二朵康乃馨,粉红的花儿把她的脸映衬得十分美丽。她的脸上始终带着幸福的微笑,我觉得我的眼睛似乎一直没有离开过妈妈的脸。突然,我向爸爸提了一个怪里怪气的问题。

"爸爸,你说世界上最美丽的女人是什么样子的?"

不知是爸爸不愿回答,还是回答不上来,他拍拍我的脑袋:"不知这小脑瓜里又在转什么念头?"

"让我来告诉你吧!"我一本正经地说,"脸上带着幸福微笑的女人是世界上最美丽的女人,就是像妈妈现在这样。"

十二支生日蜡烛点起来,在切蛋糕之前,我照例要许一个愿。

我闭上眼睛,把双手合在胸前,在心里许了一个愿:我这一辈子一定要对妈妈好!

在需要我的时候

昨晚,我一直牵挂着小马达,不知道马加会不会给他换尿不湿,会不会喂他东西吃,会不会……

今天一大早,我就背着书包往马加家赶。到了那里,莫欣儿和吴缅都来了，奇怪的是马加的妈妈也在那里。马加说，在他爸爸和后妈住院期间，他妈妈每天都会来帮他。

马加的妈妈要去上班了，她吩咐我们，除了喂牛奶，还应该喂小马达一些鲜果汁、鲫鱼汤和菠菜、碎肉。接着，她教我们这些东西怎么买、怎么做后，就匆匆上班去了。

我们几个马上分工，我和莫欣儿在家照看小马达，吴缅去市场买鲜鲫鱼和菠菜、肉，马加去商店买尿不湿。

小马达今天特别乖，一声都没有哭过。我抱着他，很近很近地看他。他的脸真娇嫩啊，上面有一层金色的细绒毛，使人情不自禁地想去亲亲它，摸摸它。

我俯下身子，亲了小马达的脸，"咯"的一声，小马达竟向我笑了。

"欣儿！"我惊喜地大叫，"我已经爱上他了！"

"羞！羞！羞！"欣儿用手指刮着自己的脸，"快从实招来，你爱上谁了？"

我故意卖关子："他呀！"

"他是谁呀？"欣儿怪声怪气。

"小马达呀！"

"我也爱上他了！"

我说："不行，你不能爱上他。"

"为什么？"

我说："如果你爱上他，我俩就不是朋友关系了。"

"那我俩是什么关系？"

我说："情敌关系。"

"哈哈哈……"

看着我们笑,小马达也笑,"咯咯咯"地笑得比我们还欢。

当我们笑作一团的时候,吴缅把东西买回来了。

他问我们在笑什么?我让他猜,他却做出不屑一猜的样子,进厨房熬鱼汤去了。

这一天,我们都觉得过得非常充实和愉快。我们轮换着照看小马达,轮换着做作业,又一块儿在厨房里做饭菜,仿佛一家人似的。

直到马加妈妈下班回来,我们才离开马加家。

欣儿问我:"马加的妈妈已和他爸爸离婚了,小马达又不是她生的,她为什么还这么尽心呢?"

我想,只要是善良的人,都会这样做吧?

爸妈明天就要飞海南了,我突然向爸爸妈妈宣布:我不去海南了!

爸妈吓了一跳,问我为什么会冒出这样的怪念头?

我也不知道,我只觉得我应该留下来,马加需要我,他的小弟弟需要我。

我说:"我必须留下来帮马加照顾他的小弟弟。"

爸妈对视了一眼,沉默了。

"你不要后悔哦!"

爸妈最终还是同意了我留下来,但他们不放心我独自在家,我说我看过好几遍美国电影《独自在家》,如果遇到什么情况,我学电影里那个小男孩。爸妈都笑,说那毕竟是电影。

　　最后商量的结果是，请我那已读大学的表姐安丹妮每晚来陪我。

从小女孩到少女

　　从马加家里回来，感到小腹一阵阵的隐痛，就像要拉肚子似的，坐在卫生间的马桶上，才感到舒服一点。

　　卫生纸上有一缕淡淡的红痕，我马上意识到是我的月经来了。就在这一刹那，我已经从小女孩变成了少女。

　　看着镜子里的我，一米六〇高的个子，身体已有了好看的曲线，但脸仍然还是一张充满了稚气的娃娃脸。

　　看着看着，两行泪水沿着脸颊流下来，不是高兴的泪，也不是伤心的泪，因为我现在的心情矛盾极了，既想做永远长不大的小女孩，又想立即长大成为美丽的女人。

　　我打开妈妈的衣柜，穿上她的套装，穿上她的高跟鞋，在房间里走来走去，想找一些长大的感觉。

　　有钥匙转动锁孔的声音，啊呀，是丹妮表姐回来了！换衣服已经来不及了，我只好傻傻地站在那里，等丹妮表姐进来。

　　"哇——"丹妮表姐一时没认出我来，过了一会儿才回过神，"你怎么是这副打扮？"

　　我转了一圈儿给丹妮表姐看："怎么样，我像大人吗？"

　　"为什么好好的小姑娘不做，要做大人？"

“人家已经是大人了嘛！”

我的脸红了，跑进房间，关门换衣服。

过了一会儿，我听见丹妮表姐在敲门：“冬阳，我知道了。”

我问：“你知道什么？”

“你等着我，我马上回来。”

接着我听见开门和关门的声音。这个丹妮表姐，不知在搞什么鬼？

换好衣服，坐在沙发上等丹妮表姐回来。丹妮表姐在北京一所名牌大学的法语系读大二，性格活泼，花样百出，许多男孩子都喜欢她，这次她带回来一大叠信，全是那些喜欢她的男孩子写给她的情书。我问她到底喜欢哪一个？她说一个都不喜欢，但她喜欢那些充满了浪漫情调的信。

丹妮表姐回来了，她一手提着一盒精致的蛋糕，一手抱着一个玩具熊。

“丹妮表姐，你这是……？”

丹妮表姐说：“这个蛋糕呢，是庆祝你长大成人；这个玩具熊呢，是希望你长大了也要像小女孩一样可爱。”

我问丹妮表姐：“你的那个时候，有人为你庆祝吗？”

“没有。”丹妮表姐吞下一大口蛋糕，“我当时不知道是怎么回事，吓得大哭。现在想起来真是可笑，这明明是一件值得庆贺的好事嘛。所以我给你买了蛋糕，还给你买了礼物。”

我说：“我们罗老师也说这是一件值得庆贺的事。丹妮表姐，你能给我讲讲这是为什么吗？”

丹妮表姐说：“从今以后，你已经从一个小女孩变成了青春少女，这是不是值得庆贺？从今以后，你会越长越美丽，身体会长出妙不可言的曲线，这是不是值得庆贺？从今以后，你会慢慢地成为一个真正的女人，这是不是值得庆贺？从今以后，你——"

"好啦好啦，丹妮表姐，你再说下去，会找出一百条值得庆贺的理由。"我举起金色的橘子汁，"来，为今天干杯！"

丹妮表姐也举起金色的橘子汁，跟我碰了杯："为今天干杯！"

妈妈和女儿的私房话

爸妈从海南回来了，他们给我带回来两个大大的鲜椰子和一股散发着淡淡咸味儿的海风气息。

如果在过去，我一定要和久别的爸妈来个热烈的拥抱。但我现在已经长大成人，不喜欢身体上的接触，我巧妙地避开了。而且，对那两个千里迢迢来到这里的椰子，也没有多大的兴趣。爸爸一回来就忙着打电话，妈妈却注意到了我的反常。她坐在我的小床上，轻轻问道："冬阳，你身体不舒服吗？"

我把月经来的事告诉了妈妈。

"今天的女孩跟过去的女孩真的不一样了。"

妈妈似乎很疲倦，靠在我的床头上，跟我聊起了关于月经的话题："记得我月经初次来潮的时候，觉得很丢人，躲在

房间里直哭。"

"这有什么丢人的?"我说,"女孩子不来月经,怎么能成为一个真正的女人?今后怎么能生儿育女呢?"

"我的女儿,"妈妈从床上坐直了身体,一副很吃惊的样子,"你懂得真不少啊!"

"这有什么,这都是我们罗老师在课堂上讲的,男生都听到的。"

妈妈很关切地问我会用卫生巾吗?我说罗老师教过我们的,一些生产卫生巾的厂家还为我们提供录像带,教我们如何使用卫生巾。

妈妈说:"现在真是进步多了。我们那时候用月经带,再垫上折成一条一条的皱纹纸。"

"那多麻烦呀!"

我想象不出月经带是什么样子的,但能肯定卫生巾比月经带方便多了。接着,妈妈又叮嘱我一些在月经期间要注意的事情,比如要特别地注意卫生,不要吃生冷的东西,不要吃辛辣刺激的东西,还要注意保持愉快的情绪,因为在月经期间,人的情绪是很容易低沉,也容易生气的。

我和妈妈是第一次进行这样的交谈,完全是两个大人的交谈。当妈妈走出我的房间时,我若有所失:难道我今后再也不能在妈妈跟前撒娇了吗?不知道妈妈有没有这样的感觉,她的小女儿已经长大了,再也不会在星期天的早晨去钻她的被窝了。

第一次穿胸衣

天气说热就热了。春天好像一位匆匆过客,脱下厚厚的防寒服,毛衣还没穿几天,夏天就来了。接连几个艳阳天,街上那些树仿佛在一夜之间,都密密层层地撑开了小巴掌般大小的树叶。

街上繁花似锦,绿树成荫。有些性急的人都亮出了胳膊,穿上了短袖衬衫。

如果时光能再回到两年前,甚至一年前,我还是那个没有发育的小女孩,在这样明媚的天气里,我一定会翻箱倒柜,把我的连衣裙找出来,穿了这一条花的,再穿那条粉的,还有蓝的,白的……哪怕小腿儿冷得打哆嗦,也要提前把裙子穿出去。

现在,像我这样开始发育的女孩子都很怕夏天的到来。气温已在25℃以上了,可我还不敢穿单衣,无论怎么热,我的衬衣外面总套着一件宽大的外套,背也不敢挺直,总是含着胸。

昨天晚上,妈妈给了我两件用白棉布做的小衣服,胸前有两个小碗碗,妈妈说,这是贴身穿的胸衣,我已经到了该穿胸衣的时候了。

莫欣儿就一直想要这么一件胸衣,我曾经陪她看过大大小小的商店,商店里有许多卖胸罩的,大多是化纤做的,而且中间不是加了钢圈,就是加了海绵垫,根本没有适合我们戴的胸罩。

我问妈妈,这件背心式的胸衣是从哪儿买的? 妈妈说她买了白布,请人加工的。

今天我穿了胸衣,外面只套了件T恤衫,没有穿外套。妈妈问我感觉怎么样? 我说挺好。

妈妈又让我在她面前走走,我莫名其妙地走了几步。

"不要含着胸!"妈妈拍了一下我的背。

我照妈妈的话做了,妈妈这才满意道:"对了,少女的风采有了,少女的韵味也出来了。"

上学的路上,我老觉得有人在看我,是不是他们都看出我穿胸衣了?四下瞧瞧,人们来去匆匆,各人忙各人的,谁管你穿什么?

来到学校,班上那几个"同病相怜"、也开始发育的女生一下子就看出我的不同来,都悄悄问我是不是戴"胸罩"了?当她们知道我穿的是棉布做的背心式胸衣时,都羡慕得不得了。特别是莫欣儿,忙问我是在哪儿买的,她也要去买。当我告诉她这是妈妈专门请人订做的时,莫欣儿神情黯然,悲哀地说道:"还是有妈妈好啊,我是穿不上这样的胸衣了。"

我这才意识到不该说这样的话来刺激她。她妈妈已经走了,虽然依旧爱她,然而不在她的身边,所以不能像我妈妈那样买了白布,比着我的胸围请人为我订做。

战"痘"族

就这两天,我的脸上也开始长痘了。开始是额头上长了一颗,我没在意;然后是眉心里长了一颗,我有点紧张了;再后来,下巴上又长出一颗又大又红的来,而且还有点痛,我真的害怕了。

上课的时候,尽管我强迫自己把注意力集中在老师的讲课上,但那几颗痘还是顽强地出现在我的脑海里。

下课的时候,同学们都到教室外面活动去了,我却在座位上没动,趁没人时拿出小镜子照起来,我看脸上又长出新

的痘没有。

"嗨,欢迎你加入我们的'战痘族'!"

这是南柯梦的大嗓门儿,她还在我背上重重地拍了一下。她总是这么大大咧咧的,什么时候才能学得"淑女"一点呢?

"什么战斗族?"我问她。我从来都是热爱和平的,怎么会把我归入"战斗族"?

南柯梦数着我额头上的痘:"一颗,两颗,三颗,战痘战痘就是战胜你脸上这个'痘'。"

南柯梦是我们班女生中最先长痘的,那时她是很难为情的。现在接二连三地已经有好几个女生的脸上都长出了痘,用南柯梦的话说,可以组成一支"战痘族"了,她说今后我们的这支"战痘族"还将一天天壮大起来。

"别看现在小魔女、沙丽的脸还是光光的,我敢打赌,要不了多久,她们也会加入我们这个'战痘族'的。"

我说:"你这是嫉妒人家。"

"怎么是嫉妒呢?"南柯梦反驳道,"你读青春期卫生方面的书没有? 长痘是因为体内的新陈代谢旺盛,是正常的生理现象。"

因为南柯梦是女生中第一个长痘的,我问她有什么药可以治。"不用治,"南柯梦说,"'那个'来的前几天会长出来,过后自己会消下去,花开花落,不用管它。特别是下巴,那里是危险三角区,如果长了痘,千万不要去摸。"

也许南柯梦真的对她脸上的痘不那么在乎了,想起她刚长痘时，把痘挤出血来的情形，战"痘"战"痘"，她如今健康的心理战胜了对"痘"的恐惧心理。

我还看见班上其他几个长痘的女生，以前她们都用厚厚的刘海遮盖住长痘的额头，现在也大大方方地把额头亮了出来，大有任其"花开花落"的气概。

既然已是战"痘"一族的成员，就要有一点战"痘"精神，我也不应该在乎我脸上的痘了。

最后一次用小镜子照了照，镜子里却出现了精豆豆那张嬉皮笑脸。该死！我和南柯梦的话都被他听去了。

"你在这儿干什么？"

"我也想参加你们的战'痘'族。"

南柯梦扳过精豆豆的脸："让我看看你脸上有没有'痘'可战？"

看看精豆豆还不及南柯梦的肩高，跟她说话得抬起下巴，我不禁笑道："你是个永远长不大的小人精，一辈子也长不出痘来。"

"冉冬阳！"精豆豆跳起来指着我的鼻子，"你别小瞧我，说不定我哪天一夜之间满脸都长起痘，吓你一跳！"

我和南柯梦趴在桌上笑啊，笑啊，眼泪都笑出来了。这个精豆豆，一天不搞笑，他就会觉得自己没能耐似的。真不敢想象，如果我们班少了精豆豆，不知会少了多少笑声。

我心中有秘密吗

马加的爸爸和后妈身体康复已经出院了。这个周末他们要请帮助过马加的几个同学到他家,要当面感谢我们。

我十分爽快地答应了马加。过了一会儿,马加愁眉苦脸地跑来告诉我,古龙飞、精豆豆和沙丽都答应要去,就是吴缅和莫欣儿还没答应。

"他们没说为什么不去吗?"我问道。

"他们什么都没有说。"马加说,"我去问吴缅的时候,吴缅问我莫欣儿去不去,说莫欣儿去他就去,莫欣儿不去他就不去;去问莫欣儿,莫欣儿问我吴缅去不去,说吴缅去她就去,吴缅不去她就不去。"

吴缅和莫欣儿,他们俩什么时候好成这样,我怎么不知道?

我心里酸溜溜的,还有点难过,当然说不清我为什么要难过。我发誓这一辈子再也不理吴缅,也不理莫欣儿。

我刚在心里发誓还不到五分钟,莫欣儿就笑嘻嘻地走过来,邀我同路回家。

我想拒绝她,但又没有任何可以说得出口的理由来拒绝她,只好跟她同路了。

我虎着脸,一句话也不说。

"你在生气?"莫欣儿问我。

"没有。"我的语气很生硬,"你为什么不接受马加的邀请?"

"我没说我不去呀。我说吴缅去我就去,现在马加告诉我吴缅要去,我当然也要去了。"

"为什么吴缅去你才去?"

莫欣儿并没有听出我话里强烈的不满,她说:"我现在把吴缅当做我的头号竞争对手,你想一想,如果我去了他不去,他不是又要比我多做几道题吗?"

原来她和吴缅是这么一回事,我心里一下舒坦了许多。

"你知道吴缅在哪里上补习班吗?"

我说:"不知道。"

"你在替他保密吧?"莫欣儿笑得怪怪的,"那么你总该知道他请家教没有?"

摇摇头,我真的不知道。

"冬阳,我再问你,"莫欣儿问得没完没了,"在我和吴缅之间,你是站在我一边,还是站在吴缅一边?"

一般说来,我应该站在莫欣儿一边。我们这个年龄,是把友情看得很重的,谁都知道,莫欣儿是我最好的朋友,但是……

莫欣儿见我不吱声,就说:"我知道了,我知道你站在吴缅一边,希望吴缅战胜我。是不是?"

"不是。"

"别骗我,我知道你心中的秘密。"

我心中有秘密吗?

　　我自己问自己。我怕我心中有秘密，就明明白白地告诉莫欣儿："我站在你这一边。"

　　莫欣儿高兴了，亲亲热热地挽住了我的手。

　　这时候，我真的很羡慕莫欣儿，甚至有些嫉妒她。如果我的成绩有她那么好，吴缅也会把我作为头号竞争对手，时时刻刻地关注着我，如果谁去邀请他，他会说："冉冬阳去吗？如果她去我就去，如果她不去我就不去。"

非常女生
FEICHANG NÜSHENG

之

双面女生

莫欣儿

非常档案

双面女生

家庭状况：住在高档住宅区的高层公寓，家境
    富裕，父母年轻能干，看起来是标准的幸
    福家庭

最羡慕的人：冉冬阳

最喜欢的玩具：树洞毛绒松鼠

最不能承受的事：爸爸妈妈离婚

别人看得见的一面：家庭条件优越，学习成绩
    优秀，听话乖巧

别人看不见的一面：觉得自己不幸福，多愁善
    感，还有一点霸道和自私

双面指数：☆☆☆☆☆

一个玩具，两个故事

莫欣儿今天很高兴地对我说，放学后她要和我一道走。

"不是每天都是你爸爸来接你吗？"

每天放学，都能看见莫欣儿爸爸的汽车停在校门口。

"我爸爸要出差几天。"莫欣儿在说这句话时，神情就像过节一样。

我说："我不明白，你爸爸出差，你为什么这么高兴？"

"我可以自己回家了。"

难道这也值得这么高兴？我天天都自己回家。在我心目中，莫欣儿是生活得非常幸福的女孩儿，无论做什么事，她都能做得最好，所以她总是一副无忧无虑的样子，令人羡慕。

我和莫欣儿决定不乘车，步行回家，我们有许多话儿要说。

"冬阳，"莫欣儿把手搭在我肩上，"你知道吗，我很羡慕你。"

"你羡慕我？"我哈哈地笑两声，"小姐，你有没有搞错哇？"

莫欣儿倒是很认真的样子："真的，冬阳，我很羡慕你，你是那么的自由自在，随心所欲……不像我，我已经没有了

我自己……"

莫欣儿的话使我震惊,我虽然不太理解她话里的意思,但我能感觉出莫欣儿并不像她表现出来的那样开心。

"我整天过得提心吊胆的。"莫欣儿接着说道,"无论做什么,我必须做得最好,为的是让爸爸妈妈对我不失望。"

为了转移这些并不轻松的话题,在路过一家刚开张的礼品店时,我拉着莫欣儿走了进去。回头发现莫欣儿不在我的身边,再一看,她正对着一个绒毛玩具发呆。

"你喜欢这个玩具?"

我凑过去问道。

莫欣儿没有回答我,还是很专注地看着。那确实是个

既别致又有趣的绒毛玩具。用棕色绒毛做成的一段树桩,开了一个树洞,树洞里有三只用浅褐色绒毛做成的松鼠:松鼠爸爸、松鼠妈妈和他们的松鼠宝宝。

从礼品店出来,莫欣儿就没有说过一句话。

"欣儿,我没想到你这么多愁善感,不过是一个玩具罢了。"

"你不觉得这个玩具会给你许多想象吗?"

"想象?"我突发灵感,"欣儿,我俩来给这个玩具编个故事吧!"

"怎么个编法?"

我说:"你忘了,三年级的时候,罗老师不是拿了一个玩

具'小熊照相'让我们编故事吗？我记得你写的那个故事，罗老师还当范文给我们念过呢！"

"好吧，我们来编故事。"莫欣儿的兴致很高，"你先编吧！"

我的脑海里浮现出三只松鼠亲密偎依在树洞里的情景，我编的故事是这样的：

> 小松鼠特别好玩儿，一玩起来就什么都忘记了，一连好几天都不回家。可当他玩累的时候，肚子饿了的时候，遇到困难的时候，他就会特别特别地想家，想他的爸爸和他的妈妈。这时，不管他离家多远，不管他会经过多少高山险滩，不管他会遇到狂风还是大雪，他都会回到家里来，回到他爸爸妈妈的身边来。松鼠一家三口幸幸福福、和和美美地生活在一起，外面的世界虽然很精彩，但在小松鼠的心中，这个充满了爱和温暖的小小树洞，才是最美好的世界。

我的故事编完了，接下来该莫欣儿编了，莫欣儿的故事是这样的：

> 松鼠一家三口住在一棵大松树的树洞里，小松鼠很喜欢这个家，松鼠爸爸和松鼠妈妈却对这个家不满意，松鼠爸爸喜欢东山上的风景，一心想搬到东山上去住；松鼠妈妈偏偏喜欢西山上的风景，一心想搬到西山上去住。可是，他们都舍不下可爱的小松鼠。松鼠爸

爸想把小松鼠带到东山上去，松鼠妈妈想把小松鼠带到西山上去。最可怜的是小松鼠，他爱他的爸爸，也爱他的妈妈，他哪儿都不想去，他只愿意住在原来的树洞里。爸爸妈妈没办法，为了他们心爱的小松鼠，松鼠爸爸放弃了去东山，松鼠妈妈放弃了去西山，他们还像原来那样住在树洞里，只是松鼠爸爸经常对小松鼠说："如果你不乖，我就去东山。"松鼠妈妈也经常说："如果你不乖，我就去西山。"于是，小松鼠每天必须非常乖非常乖，这样他的爸爸才不会离开他，他的妈妈也不会离开他。只要他们一家三口能永远生活在一起，这就是小松鼠的最大愿望。

莫欣儿的故事讲完了，我觉得她编的故事有点怪。

到分手的时候，莫欣儿说下个星期是她的生日，她要在家里开个小 party，请我一定要去。

我决定就送这个"树洞松鼠"玩具给莫欣儿做生日礼物。

幸福家庭

莫欣儿的家住在一个高档住宅区的一幢八层高的电梯公寓里。她家又宽敞又豪华，客厅比我们教室还大，地上铺着红色的花岗岩大理石，能照见人影子。

在这样的房子里，我们都显得有些拘谨。莫欣儿的妈妈请我们随便坐，说就像在自己家里一样。

我一见到莫欣儿的妈妈，就被她那优雅的仪态吸引住了。她笑起来很亲切，说话轻言细语的，衣服也穿得十分好看，一件浅咖啡色的羊绒衫配一条同色方格的旗袍裙，脖子上系一条鹅黄色的小丝巾，一切都显得那么恰到好处，却又使人觉得她并没有刻意打扮。

莫欣儿的爸爸也给我留下了很好的印象。他虽然是一家大公司的老板，却没有一丁点儿架子，说话也非常幽默。到莫欣儿家还不到半个小时，就已被她爸爸逗笑好几次了。我还注意到莫欣儿的爸爸对莫欣儿的妈妈很有礼貌，当莫欣儿妈妈要在桌旁坐下来时，莫欣儿爸爸赶紧走过去，把椅子拖出来让莫欣儿妈妈坐下；莫欣儿妈妈对莫欣儿爸爸也很有礼貌，当莫欣儿妈妈在拌水果沙拉时，不小心将沙拉酱溅了一点在莫欣儿爸爸的衣服上，莫欣儿妈妈一边连声道歉说"对不起"，一边跑去拿毛巾来擦衣服，而莫欣儿爸爸一边帮莫欣儿妈妈擦衣服，一边连声说"没关系"。

我看了觉得有趣，又觉得好笑。

"你在笑什么？"

不知什么时候，莫欣儿来到我的身边。

我说："你爸爸妈妈好像在演戏。"

"他们一直在演戏。"

"你说什么？"

我很惊讶地看着莫欣儿，看她的样子不像在说笑话。莫欣儿自知失言，赶紧用其他的话搪塞过去。

生日 party 最隆重的仪式开始了。

一个有洗脸盆大的心形蛋糕上面堆满了用奶油做的花,奶油花上有用鲜红的果酱书写的"祝亲爱的女儿生日快乐"。显然,这是莫欣儿的爸爸妈妈送她的生日蛋糕。

生日蛋糕上已燃起了十二支蜡烛,烛光映着莫欣儿幸福得发红的脸。

在吹蜡烛之前,我们要莫欣儿闭上眼睛许个愿。莫欣儿看看她的爸爸,又看看她的妈妈,然后闭上眼睛。我觉得她的样子非常虔诚。

许完愿,莫欣儿一口气吹灭了蜡烛。

"好——"

我们拼命地鼓掌。

掌声中,莫欣儿要她的爸爸和妈妈和她一起切蛋糕。

三只手握在一把长柄水果刀上,切下了第一块蛋糕。这时我相信,莫欣儿一家是世界上最幸福的家庭。

莫欣儿的生日party开得非常成功,我们也玩得非常尽兴。

该回家了,莫欣儿要送我。

"谢谢你送我的生日礼物。"莫欣儿说,"这是所有礼物中我最喜欢的礼物。"

我说:"莫欣儿,你今天简直像幸福的公主。"

莫欣儿说:"但愿我天天是幸福的公主。"

"你还不知足呀?"我在莫欣儿的背上拍了一下,"我敢说,你们家的房子是我们班同学中最好的。"

"你以为住在漂亮房子里的人就一定幸福吗?如果一家人能和和美美地永远在一起,就是住在树洞里也是幸福的。"

又是一句没头没脑、奇奇怪怪的话。我想起我送给她的那个生日礼物,又想起她编的故事,难道在这个幸福家庭的背后还有别的故事?

在害怕中长大的女孩

过完元旦,今天来上学,大家都好像有一年没见面了,显得格外的亲热。可是,莫欣儿却闷闷不乐的。我走过去问她:"元旦加周末,放假三天,你是怎么过的?"

莫欣儿没有回答我,眼圈却红了。

放学跟莫欣儿同路,快要分手的时候,莫欣儿对我说,她爸爸妈妈可能要离婚。

"你怎么知道的?"

"我亲耳听见的。"莫欣儿说,"他们俩在书房里说的,我去取书,碰巧在门外听见了。"

我不相信,在我看来,莫欣儿的爸爸是一个很好的爸爸,莫欣儿的妈妈是一个很好的妈妈,他们家是我所看到的最标准的幸福家庭,他们怎么可能离婚呢?

莫欣儿说:"等我小学毕业,他们就要分开了。现在是为了不影响我的学习,才没有分开的。"

我问:"他们吵架了吗?"

莫欣儿摇摇头:"他们从来不吵架,只是很少说话。"

"那天你过生日,我到你们家去,他们俩不是挺好吗?"

莫欣儿笑了一下,但笑得很苦:"在别人面前,他们俩总是表演得很好,像个天生的演员。"

我没有想到莫欣儿会这样评论她的父母。

"你知道他们为什么要分开吗?"

"不知道。"莫欣儿说,"所以我希望他们吵架,我还能从吵架中知道他们为什么要分开。"

这就奇怪了,我的舅舅和舅妈离婚之前,吵了几年,吵得我的表妹都这样说了:吵是正常的,不吵是不正常的。最后吵得不想吵了,终于离婚了。莫欣儿突然问我:"冉冬阳,你知道我是怎么长大的?"

我不知道该怎么回答莫欣儿。在我的眼里,莫欣儿是个令许多人羡慕的幸福女孩。

"我是在害怕中长大的。"

"你怕什么?"我问。

"怕我爸爸妈妈离婚。"莫欣儿说,"在我读幼儿园的时候,我就知道爸爸妈妈要离婚了。"

"你怎么知道的?"

"有一天,我妈妈带我到游乐场玩了一整天,又带着我去肯德基吃炸土豆条和冰激凌,还给我买了好多玩具。在我最高兴的时候,她问我:如果爸爸妈妈分开了,你愿意跟着谁生活?"

"你怎么回答的?"我迫不及待地问。

莫欣儿说:"我的回答是哭,放声大哭,一直不停地哭。哭得妈妈最后向我投降,说好好好,我不和你爸爸分开了,但是你要乖乖的。后来爸爸也问过我,如果他和妈妈分开了,我愿意跟谁生活?我还是用对付妈妈的办法来对付爸爸,放声大哭,一直哭,结果爸爸也只得向我投降,说好好好,我不和你妈妈分开了,但是你要乖乖的。于是,我就努力地乖,因为我怕不乖,爸爸妈妈要分开……"

原来莫欣儿并不是一个幸福的女孩,她在提心吊胆地过日子,可是,父母离婚,就真的那么可怕吗?

莫欣儿说:"你知不知道,父母离婚的孩子是很可怜的,我不愿意做可怜的孩子。"

这时,我想起了梅小雅,想起了那段在公共汽车上、她受不了人们怜悯的目光而毅然下车的往事。

"还记得转学走了的梅小雅吗？她的父母在她五岁时就离了婚，她跟了妈妈，她妈妈还下岗了，可是我不觉得她可怜，她也不觉得自己可怜。"

"不，我不管别人怎样，反正我不准爸爸妈妈离婚。"

我突然发现，莫欣儿有点自私，还很霸道。

特别的莫欣儿

今天一早就去了莫欣儿的家，她爸爸妈妈都不在，家里只有我们俩。

莫欣儿的房间非常漂亮，铺着花地毯，挂着垂地窗纱，里面有装满书的大书柜，还有大钢琴。莫欣儿翻箱倒柜，把她藏起来的宝贝东西都拿出来给我看。

在一大堆东西中，我发现有两本很厚很大的相册，有一本全是已经发黄的黑白老照片。

"这些都是我爸爸妈妈年轻时候的照片，看他们那时多好呀！"莫欣儿一边翻着相册，一边对我说，"我爸爸和我妈妈是中学同学，他们一块儿到农村插队当知青，一块儿上大学，上完大学他们就结婚了。"

这本相册里的老照片记录下了莫欣儿爸爸和莫欣儿妈妈共同走过的岁月。有他们穿着绿军装，在天安门广场的合影；有他们在金色的麦田里，头戴草帽、脖子上围着白毛巾、正在收割麦子的合影；还有在农村的小河边，坐在一棵大树下谈恋爱的合影。

　　另一本相册就全部是彩色照片了。翻开相册的第一页,是莫欣儿爸爸和莫欣儿妈妈的结婚照,新郎穿着黑色的礼服,新娘穿着洁白的婚纱;新郎英俊潇洒,新娘美丽温柔,他们紧紧偎依在一起。好幸福好甜蜜哦!

　　我问莫欣儿:"你爸爸妈妈的相册,怎么都放在你这儿?"

　　莫欣儿毫无表情地说:"这些照片对他们来说,已经不宝贵了,可是对我来说,却是最宝贵的东西。"

　　中午,我和莫欣儿正在做蛋炒饭,电话铃响了。莫欣儿叫我去接。我拿起听筒,是一个女的,找莫欣儿的爸爸,我说还没回来,那边就挂掉了。

　　莫欣儿问我是谁,我说是一个女的找你爸爸。莫欣儿问那女的声音是不是很年轻,很甜美? 我说是。莫欣儿就不说话了。我问是不是认识她? 莫欣儿还是不说话。

　　吃饭的时候,电话铃又响了,莫欣儿去接的。

"喂,请问你找谁? 哦,你找我爸爸呀? 我爸陪我妈看电影去了。什么时候回来? 我可说不准。他们看完电影,还要一起去逛商店。好,再见!"

莫欣儿走过来,对我诡秘地一笑:"我想她的鼻子肯定都气歪了。"

我问:"你爸爸真的陪你妈妈看电影了?"

"在我的记忆里,我爸爸妈妈从来没有看过电影。"

"那你为什么要骗她?"

莫欣儿说:"我是想让她死了那份心,想让她知道我爸爸妈妈有多么恩爱,我们这个家庭她是破坏不了的。"

莫欣儿真的使我感到惊讶。我惊讶她的沉着和有心机,同时我也明白莫欣儿爸爸和莫欣儿妈妈之间为什么要离婚了,因为在他们两人之间,还有另外一个女人。

不再做乖乖女

这个周末,舒老师布置了四道难度较大的思考题,舒老师说可以找同学讨论,一起来完成。

上午我打电话给莫欣儿,想找她来一起做思考题,莫欣儿说上午不行,让我下午到她家去。

下午,我来到莫欣儿家,拿出思考题来想和她讨论,莫欣儿却说她的题上午就做完了。

我有点不高兴:"那你为什么叫我下午来?"

莫欣儿解释道："上午我的家庭数学老师来，我正好把这四道题拿出来向她请教。"

"你真的请了家教？"

莫欣儿立刻变得很警惕："难道我们班有人知道我请了家教？"

"请家教又不是见不得人的事情，你为什么怕人知道？"我说，"只是我不明白，你成绩那么好，为什么还要请家教？"

"因为我想离开这个家，就一定要考上外语学校，全市只有外语学校是一所寄宿学校。"

原来是这样。我问莫欣儿，是不是她的爸爸和新妈妈对她不好？

"这倒不是。"莫欣儿摇摇头，"爸爸对我很好，小斯阿姨对我也挺客气，可是无论如何，我总觉得我在这个家里像个多余的人。"

自从莫欣儿的爸爸妈妈离婚后，我觉得莫欣儿像突然变了一个人似的，变得特别的好强，特别的有主见，还有点玩世不恭。也许是她以前太委曲求全了，小小年纪就挖空心思做十全十美的乖乖女，想用她的"乖"把爸爸妈妈硬拴在一起，然而，最终还是……对莫欣儿来说，这对她是一个打击，同时也是一种解脱。

我看见在莫欣儿的书架上，有一格特别用珠帘遮了，好像里面有什么特别珍贵的东西。我撩开一看，原来里面摆着在她十二岁生日那天，我送给她的树洞和三只松鼠。

"虽然我们家散了，但我仍然喜欢你送给我的那个树

洞,这就是我心目中的家。"

说着说着,莫欣儿的眼睛又红了。

"不说了,不说了。"莫欣儿打开音响,"我说过的,上次是你见到我最后一次流眼泪。"

莫欣儿放了一首节奏强烈的迪斯科,我和她痛痛快快地跳了一场,一直跳到大汗淋漓才停下来。

为朋友"两肋插刀"

今天,我遇到一件十分为难的事情,莫欣儿让我向吴缅打听,他准备了哪些题目的作文。我感到很奇怪,说:"谁都知道,你是我们班作文写得最好的,干吗要向吴缅打听?"

"这你就不知道了。"莫欣儿把我拉到一个没有人的地方,"我听说他妈妈有一个好朋友,是小学特级语文老师,前几届小学毕业的语文试卷都是她出的,你想想,她给吴缅出的作文题目一定是很管用的。"

"你不是写了十几篇作文,已经背得滚瓜烂熟了吗?"

"多多益善,万无一失嘛。"莫欣儿胸有成竹,"到时候无论出什么样的作文题,我都有一篇现成的文章套上去。"

我想出一个两全其美的好主意:"你用你的作文题去交换吴缅的作文题,不就好了吗?"

莫欣儿不高兴了:"如果是这样,我就不来麻烦你了。"

"这……"我感到十分为难。

"人家都说,为朋友两肋插刀,你连这么点小事都不愿帮我做吗?"

话都说到这份儿上了,我只好硬着头皮去找吴缅。

下午放学,我就跟在吴缅后边。我们俩回家的方向不一样,到了该分手的地方,我还跟着他。

"冉冬阳,你跟着我干什么?"

"我……我想跟你说个事儿……"

吴缅停住脚步:"说吧,什么事?"

"你妈妈是不是有一个好朋友是特级语文老师?"

"是。"

"她给你辅导过作文吗?"

"没有。"吴缅一口否认,"我认为罗老师已经教得够好了,我没有必要再去找她辅导。"

"我不相信。"

"你不相信就算了。"吴缅转身就走。

　　"你别走！"我换了一种方式问吴缅，"你背了几篇作文？"

　　"我为什么要背作文？"

　　我说："莫欣儿已经背了十几篇了，她说无论出什么样的作文题，她都可以套一篇上去。"

　　吴缅突然问我："你背了多少篇？"

　　"我把从前写得好的几篇作文都背了。"

　　"其实用不着。"吴缅说，"天才知道会出什么样的作文题！如果套错了，那不是弄巧成拙吗？"

　　我觉得吴缅说得也有道理。

　　莫欣儿在家等我的电话。我把吴缅给我讲的话讲给莫欣儿听，莫欣儿说了声"我知道了"，就挂上了电话。

　　我想莫欣儿肯定又不高兴了，不知是对我不满，还是对吴缅不满？管她的，为朋友我已经做到"两肋插刀"了。

非常女生

FEICHANG NÜSHENG

两个小魔女

刘杨惠子

秦天月

非常档案

两个小魔女

小魔女之一

姓名：刘杨惠子

性格：活泼，伶俐，单纯，很有个性

魔女形象：喜欢穿一身黑，黑衣黑裤黑鞋，酷
  酷的，脸上很少有笑容

最喜欢说的口头禅："好酷哦"，"酷毙了"

小魔女之二

姓名：秦天月

魔女形象：她是范晓萱的超级粉丝，喜欢打扮
  成"小魔女"的样子

最喜欢吃的零食：喜之郎布丁

最擅长的咒语："啊不啦嘎利卡西碰！"

魔力指数：☆☆☆☆☆

"小龙女"队

这几天我发现小魔女刘杨惠子对我很冷淡，对我爱理不理的。莫欣儿说小魔女对她也那样，她去请小魔女参加生日 party，她一口就回绝了。沙丽也被小魔女搞得莫名其妙，以前她们总是形影不离，现在小魔女不但独来独往，还对她怒目而视。

后来，我从马加那里才知道，这阵子班上的男生对电视剧《神雕侠侣》中的小龙女着了迷，他们暗地里在班上的女生中大选小龙女，标准是长得要漂亮，头脑要聪明，性格要温柔，选来选去，在全班二十几个女生中，就选不出一个既聪明、又漂亮、还温柔的这样完美的小龙女来。失望之极，在无可奈何的情况下，男生们别出心裁地选出了一个"小龙女队"，这个"小龙女队"由聪明的莫欣儿、漂亮的沙丽和温柔的我组成。

原来小魔女是因为自己没有入选"小龙女队"而生气。她骂男生们都是土老冒，她问她的同桌鲁肥肥："现在都什么年代了，还在喜欢小龙女这样的出土文物？"

鲁肥肥反问她现在是什么时代？小魔女得意地扬起眉毛："现在是小魔女时代，流行'酷'。"

现在小魔女每说三句话，必有一个"酷"字，她一直标榜

自己是班上最时髦的女孩,当然也应该是最引人注目的。我倒觉得刘杨惠子如果不去刻意模仿什么歌星,不那么赶时髦,也许真实的刘杨惠子要可爱得多。

说"酷"

要说赶时髦,我敢说,谁也赶不过我们班的小魔女刘杨惠子。最近这段日子,小魔女的时髦语是"好酷哦!""酷毙了!"

问小魔女什么是"酷"?

"连'酷'都不懂?"小魔女一脸瞧不起人的表情,"酷,就是'酷'嘛!"

我们还是不懂什么叫"酷"。去问罗老师,罗老师在一张纸上写了一个英语单词cool,说:"'酷'就是从这个英语单词音译过来的,原意是冷静,汉语的意思是形容程度深。"

我们还是不明白,照罗老师说的意思跟小魔女所说的"酷",好像不是一回事。

"当然,"罗老师又接着说道,"现在人们所说的'酷'已完全是另外的意思了,是形容一个人有个性。"

为了"酷",小魔女的打扮也变多了。以前她模仿范晓萱,范晓萱穿衣服很活泼,所以她穿的衣服也很活泼。现在她改穿颜色很深、紧身的衣服,跟以前的活泼形成鲜明的对比,显得深沉、老气。

为了"酷",小魔女的脸上很少有笑容。她说"酷"的人是不笑的。我觉得她已经走火入魔,神经兮兮的。

今天,小魔女穿了一身黑,黑衣黑裤黑皮鞋,十分严肃地走到我们跟前来,问:"你们怎么不说我'酷'?"

我们不知说什么好。

"说呀,我到底酷不酷?"

看样子,我们如果不说"酷",小魔女又要生气了。

莫欣儿说:"我觉得还是你原来的样子好看。"

小魔女鼻头一耸,说了句"一点品位都没有",转身看见了罗老师,又让罗老师评她"酷不酷"。

罗老师没有直接回答她的问题,而是问我们:"你们说刘杨惠子有哪些特点?"

我说:"我觉得她很活泼。"

南柯梦说:"我觉得她很伶俐。"

莫欣儿说:"我觉得她很单纯。"

"刘杨惠子,

你听到没有？你活泼,你伶俐,你单纯,你在大家的心目中,就是这样一个可爱的女孩子形象。但是——"罗老师语气一转,"你这身自认为'酷'的打扮,是张扬了你可爱的个性,还是掩盖了呢?"

小魔女无言以对。

罗老师告诫我们每个人:不要在盲目的追星、赶时髦中迷失了自己,拥有一个真实的自己才是最宝贵的。

我觉得罗老师说得非常对,句句都是一针见血。如果刘杨惠子不是盲目地去追星、赶时髦,保持自己的个性,她还称得上是一个比较完美的女孩子呢。

小魔女的咒语

南柯梦的额头上长了几颗小红点,沙丽大惊小怪地叫道:"呀,不会是青春痘吧?"

南柯梦的脸倏地红了,她生气道:"胡说,是蚊子叮的。"现在是冬天,哪来的蚊子? 我们想笑,又不敢笑。

这时坐在一旁的小魔女刘杨惠子一副幸灾乐祸的样子,嘴里还念念有词:"痘痘发芽! 痘痘发芽! 痘痘发芽……"

正憋着一肚子火的南柯梦明显地感到小魔女在说她,便厉声问道:"你说什么?"

"我在念咒语。"小魔女速度更快地念道,"痘痘发芽!痘痘发芽……"

空气里充满了火药味。莫欣儿忙拉走了南柯梦,我呢,去向小魔女请教一道思考题。小魔女最近又新增添了一个爱好,就是好为人师,喜欢给别人解答数学题。

南柯梦和小魔女一向不和,她们属于同一类型的女孩子,聪明过人,伶牙俐齿,一个针尖,一个麦芒,针锋相对,互不相让。最近,她们的矛盾又加深了,学校要举行一次奥林匹克数学竞赛,每班由六人组成一个代表队,我们班代表队的名单基本上定下来了。就是南柯梦和小魔女,舒老师还没有决定由谁去。

莫欣儿几乎是我们班女生里数学最棒的一个,她肯定要去参加比赛的。我私下里问莫欣儿:"你说舒老师会让小魔女去还是让南柯梦去?"

莫欣儿想了想,说:"她们两人各有千秋。南柯梦基础很好,稳扎稳打。小魔女是刚冒出来的新秀,基础并不见得怎么好,但是很灵巧,特别适合解奥数题。"

我想舒老师选择小魔女的可能性比较大。但是最好她们俩来一次擂台赛,决一高低。

上数学课时,我特别观察了舒老师对南柯梦和小魔女的态度。每提一个问题,南柯梦都把手高高举起,一堂课里,舒老师竟叫了她三次。南柯梦的语言表达能力极强,思路也十分清晰,她在回答问题时,舒老师总是向她投来赞许和欣赏的目光。而这个时候,我就会听见与我隔了一个过道的小魔女嘴里念念有词,我想她又在念咒语了,不觉轻声地笑起来。

下课铃一响,小魔女拿着奥数题,又去缠着舒老师,南柯梦气鼓鼓地瞪着小魔女,我听见有女生在悄悄议论:"小魔女是因为喜欢舒老师才喜欢数学的。"

正如我想的那样,舒老师要在南柯梦和小魔女之间作选择,只有采取公平竞争的方式。

下午上自习课时,舒老师出了二十道奥数题让南柯梦和小魔女做,南柯梦做对了十一道,小魔女做对了十二道,舒老师宣布:由小魔女参加我们班的代表队。

我以为南柯梦会不服气,没想到她倒洒脱得很,说什么在竞争社会里,先要学会服输,再去争取,这是哪个名人说的,她记不得了。

南柯梦就是跟一般的女孩子不一样。她败给了小魔女,但她对小魔女没有一丝一毫的嫉妒之心,她还跑去对小魔女说:"嗨,祝贺你,但是我不原谅你。"

"不原谅我什么?"

小魔女的圆眼睛睁得大大的。

南柯梦说:"不原谅你的咒语。"

发芽的青春痘

小魔女的咒语真的应验了,南柯梦额头上的小痘痘越来越红,越长越大,小痘痘上又冒出了小白点,就像发了芽一样。古龙飞和精豆豆趁机起哄,阴阳怪气地说什么:"青春美丽痘发芽了！"

从来不梳刘海的南柯梦梳起了一层厚厚的刘海，希望能遮盖住那些讨厌的小痘痘。

这几天南柯梦显得无精打采的，我听沙丽说，南柯梦用手去挤那些小痘痘，想把那些小白点挤掉，结果挤出了血，可能感染了。

哎呀，感染了可不是闹着玩的，赶紧去医院呀！

下课时，我和南柯梦一道去卫生间，我轻轻撩开她覆在脑门上的刘海，只见那几颗小痘痘已变得又红又肿。

我问："疼不疼？"

南柯梦点头："很疼，我心里很害怕。"

南柯梦掏出小镜子照了照，她的眼睛里真的有了恐怖的神色。南柯梦一向是一个天不怕、地不怕的女孩子，她居然也害怕了，我心里也感到害怕。

"怎么办呢？"我有些手足无措，"要不上医院去吧！"

"上医院？"南柯梦心里更虚了，"真的有这么严重吗？"

这时，小魔女闯进来了。她大概是尿憋急了才跑来的，一阵哗哗的声响之后，她一边提裤子，一边大大咧咧地问我们："你们俩鬼鬼祟祟地在这里干什么？"

我正要回答，南柯梦抢先说道："小魔女，你的咒语应验了，你高兴了吧。"

"什么咒语？"

不知是小魔女装傻，还是真的忘了。

"痘痘发芽！痘痘发芽……"我提示道。

"啊,该死,该死!"

小魔女轻轻拍打自己的脸,表示悔过。

"其实,我昨天给你带来了一瓶特效药,没好意思给你。"

"有没有搞错哇?"南柯梦不相信,"你会给我带药来?"

"我真的给你带了药来。"小魔女那认真的样子,不像是在开玩笑,"我表姐长了一脸的青春痘,用这种药,一搽就灵。"

　　我们回到教室，小魔女果然从书包里拿出一瓶白色的药水来，她还特地带了棉签，让我把南柯梦额头上的刘海撩起来，然后用棉签蘸了药水。轻轻抹在南柯梦的脑门上。

　　一边抹还一边说："你今后千万千万不要再用手挤了，不然的话，会留下疤痕的。"

　　南柯梦说："小魔女，你怎么突然变得这么好？"

　　"唉。谁叫我的咒语这么灵呢！"小魔女眯着一只眼，指指我，又指指南柯梦，"别惹我，小心我用咒语对付你们。"

　　南柯梦宽宽的脑门被搽得一片雪白，我问她感觉怎么样。她说凉丝丝的，很舒服。

超级模仿秀

　　不知从什么时候起，秦天月迷上了小魔女范晓萱，她会唱小萱萱所有的歌。以前她笑，是张大嘴巴哈哈地笑，现在她学小萱萱抿嘴笑。她亲口对我说过，每天她都要对着镜子练这种抿嘴笑，小萱萱的嘴角是有一个小酒窝的，秦天月没有，但天天练抿嘴笑，嘴边已经挤出一个小酒窝了。

　　工夫不负有心人，有很多人都说秦天月跟小萱萱像得不得了。前些日子，省电视台的一个娱乐节目要举办模仿秀，几乎所有认识秦天月的人都怂恿她到电视台去模仿小萱萱。

　　"夏雪儿，你看我真的像小萱萱吗？"

"像,太像了。"

"欧亚菲,你实话实说,我像小萱萱吗?"

欧亚菲一手拿着小萱萱的照片,看一眼秦天月,又看一眼小萱萱的照片,十分肯定地对秦天月说:"我这样给你讲吧,你和小萱萱,简直是一个模子里倒出来的。"

秦天月的心里有了底,真的报名参加了电视台的"模仿秀"。电视转播那一天,秦天月头戴宽檐尖尖帽、身披长斗篷,一手拿着糖拐杖,一手举着假面具,像小萱萱那样蹦蹦跳跳地上了台。主持人向现场的观众们问道:"让我们来猜一猜,这位小朋友要模仿谁呢?"

观众们异口同声地回答道:"范——晓——萱。"

秦天月把假面具放下来,观众席上响起一片惊叫声:"哇噻!"

音乐响起,秦天月模仿起小萱萱那首最著名的《健康歌》——

左三圈,右三圈,

脖子扭扭,

屁股扭扭……

小萱萱唱得奶声奶气,秦天月也唱得奶声奶气;小萱萱脖子扭扭、屁股扭扭的模样十分天真十分可爱,秦天月脖子扭扭、屁股扭扭的模仿也十分天真十分可爱。最后得分,评委们都给秦天月打了满分。

秦天月一下子出了名,大家不再叫她秦天月,只叫她小魔女。叫来叫去,连她自己都分不清她是秦天月还是小魔女了。

有一天早晨，我忘记戴红领巾了，被校值日挡在校门外，我只好回家去拿红领巾。

在路上遇见小魔女，她问我到哪儿去，我说我回家去取红领巾。她说不用了，她有办法。

小魔女让我闭上双眼，嘴里念念有词：啊不啦嘎利卡西碰，啊不啦嘎利卡西碰……

"你在念什么？"我闭上眼问。

"小魔女的咒语。好了，你可以睁开眼睛了。"

我睁开眼睛，脖子上已戴着一条红领巾。

"小魔女，难道你会魔法？"

"那当然。"小魔女把她的长发一甩，"不会一点魔法，怎么做小魔女呀？"

我半信半疑。

后来我才知道，小魔女为了让大家相信她是小魔女，她总会使出一些魔法来给大家排忧解难，所以，小魔女的书包里常常有红领巾呀钢笔呀橡皮擦呀这些学校里缺不得的东西，谁需要，她就"变"出来给谁。

小魔女的应声虫

秦天月最崇拜的人是范晓萱，后来去参加电视台的超级模仿秀，模仿范晓萱唱《健康歌》，脖子扭扭，屁股扭扭，

非常女生
FEICHANG NUSHENG

一下子扭出了名,大家都知道五·三班有个"小魔女"。

王巧巧最崇拜的人是小魔女秦天月。每当秦天月口念小魔女的咒语"啊不啦嘎利卡西碰"时,王巧巧的眼睛会睁得圆圆的,嘴巴也张得圆圆的,圆圆的脸上充满了无限的钦佩之情,应声念道:"啊不啦嘎利卡西碰!"

"错了!"

"哦!错了!"王巧巧忙应声道,"我知道我念错了!"

小魔女问:"你知道你错在什么地方吗?"

王巧巧的圆眼睛一眨一眨的,她一点都不知道她错在哪里。

小魔女的眼睛一闭,又念了一遍咒语:"啊不啦嘎利卡西碰!"

王巧巧也把眼睛一闭,可她闭上眼睛就什么都忘记了,只记得咒语后面的"卡西碰……"

"你学不会的。"小魔女说,"你又不是小魔女,就算你学会了念咒语,也不会显灵的。"

"我不学,我不学。"王巧巧应声道,"就算我学会了,又有什么用呢?"

秦天月开始是模仿小魔女,到后来她已经完全相信她自己就是小魔女。王巧巧也相信秦天月是小魔女。

肥猫从来不相信秦天月是小魔女。

"世界上根本就没有妖魔鬼怪,全是编造出来的,小魔女也是编造出来的。"

"才不是呢!"王巧巧急了,"秦天月真的是小魔女。"

米老鼠跳到王巧巧的跟前："我问你，秦天月是谁生的？"

王巧巧说："她妈妈生的呀！"

"那她妈妈一定是老魔女啰！"

"嘎！嘎！嘎！"

这是肥猫的笑声。

"吱！吱！吱！"

这是米老鼠的笑声。

王巧巧的眼泪都快被这两个坏小子气出来了，她拼命地为秦天月辩护道："秦天月有一本魔法书。"

肥猫和米老鼠问王巧巧："这魔法书你看见过吗？"

王巧巧没有看见过。但她说秦天月说的好多话都是从魔法书上看来的。

"那是胡说八道。"

两个坏小子异口同声。

王巧巧又说："秦天月还会念小魔女的咒语呢！"

"我们还会念呢！"两个坏小子的嘴皮子翻得比秦天月还快，"啊不啦嘎利卡西碰！啊不啦嘎利卡西碰！"

看把王巧巧气得死去活来，两个坏小子开心死了。

"王巧巧，让你的小魔女给我们显一次灵吧！"

王巧巧好不容易才忍住眼泪没流下来。她发誓，她一定要让小魔女秦天月在肥猫和米老鼠面前显一次灵。

这个机会很快就来到了！

每天一下课，肥猫就会去抢占乒乓球桌。抢起乒乓球桌来他是不要命的，所以，数学作业本从他裤兜里掉出来

了,他也不知道。

王巧巧在球桌边捡到了肥猫的数学作业本。

回到教室里,她看见肥猫正满世界找他的作业本。

"喂,你们看见我的数学作业本没有?"

没人理肥猫。

交不出作业本,肥猫不知道教数学的舒老师会怎么处置他,必是凶多吉少。

"我完蛋了!"

肥猫哀叫一声,像中弹倒地,向后一躺。

不知什么时候,王巧巧如幽灵一般,来到肥猫的身边,悄悄说:"你还有点救。"

王巧巧说完,转身就走。

肥猫追上王巧巧,死皮赖脸地扭住不放。

"有什么高招儿快讲出来,救哥儿们一把吧!"

"你去求小魔女吧!"王巧巧十分神秘地前后看看,"小魔女一念咒语,再施点小魔法,什么变不出来呀!"

对这些装神弄鬼的事情,肥猫压根儿就不相信。但他现在是病急乱投医,只有去求小魔女了。

肥猫连滚带爬,来到小魔女的跟前。

"小魔女,快施出你的魔法,把我的数学作业本变出来。"

小魔女拿腔拿调:"你不是不相信魔法吗?"

"我信,我信。"

肥猫点头如捣蒜。

"魔法这东西呀,信则灵,不信则不灵。"王巧巧用手在肥猫的眼皮上一抹,"你快闭上眼睛吧,小魔女要念咒语了。"

肥猫闭上眼睛,王巧巧以迅雷不及掩耳之势,把肥猫的数学作业本塞在小魔女手里。

小魔女会意,口中念念有词:

啊不啦嘎利卡西碰!

啊不啦嘎利卡西碰!

肥猫这时候很听话,王巧巧叫他睁开眼睛才睁开眼睛。一看,小魔女正把他的数学本举到他的眼前。

肥猫一把抢过数学作业本,说:"什么魔法呀? 我看见王巧巧把本子塞到你手中的。"

"都怪你! 都怪你!"

小魔女把气全撒在王巧巧的身上。

王巧巧哭丧着脸,像个受气的应声虫:"都怪我! 都怪我……"

喜之郎布丁

自称小魔女的秦天月,除了喜欢念咒语、施魔法以外,还喜欢吃"喜之郎"布丁。

有一次上英语课,英语老师让我们用"I love……"造句,大多数同学都造的是"I love father"或"I love mather"。

英语老师启发道:"除了爸爸妈妈,你们还爱什么呢?"

秦天月立即站起来回答:"I love xi zhi lang。"

英语老师莫名其妙:"喜之郎是谁啊?"

"喜之郎是布丁。"

米老鼠最爱接嘴。

英语教师不愧是英语老师,她不知道"喜之郎",但她知道"布丁"。

秦天月几乎每天都有一个"布丁故事"讲给我们听,使我们念念不忘的是,她的"布丁"里居然有一个小人儿,而且这个小人儿的名字,就叫"喜之郎"。

"你怎么知道这个小人儿的名字叫'喜之郎'?"

"是他亲口告诉我的。"秦天月说得有鼻子有眼,"那天

我妈妈给我买了一盒布丁。一共十二个,各种颜色的,有一个的颜色最特别,是金色的,我就没舍得吃,把它放在我的小书桌上。夜里,我起来上卫生间,发现我的书桌上闪着一道道金光,走近一看,这个金色的布丁里有一个小小的人儿在里面……"

"这个小小的人儿有多小?"

秦天月用手指比了个一寸长的样子:"这么小。"

"后来呢?"

"后来这个小人儿跳起来,从布丁里跳出来,跳到我的书桌上,还跳到我的钢琴上。那天,我的钢琴恰好忘记盖琴盖了,这个小人儿就在琴键上跑来跑去,比我弹的曲子还好

听呢!"

"真的?"

"当然是真的。"

秦天月的应声虫王巧巧总会挺身而出,为秦天月说话。

秦天月继续讲道:"琴声把我爸爸妈妈都吵醒了,他们跑到我的房间里来,见我乖乖地躺在被窝里,问我是谁在弹琴,我不想让爸爸妈妈知道有这么一个小人儿,就说是我在弹琴。爸爸妈妈离开了我的房间,我发现小人儿不见了。我关上灯,小声地喊道:'小人儿,快出来吧,他们都走了。'小人儿果然又出现了,他跳到我的枕头边,这下我可把这小人儿看清楚了:他的眼睛只有芝麻粒儿大,他的鼻子有点翘,他的嘴巴红红的……"

"他嘴里有没有牙齿?"

"有的。"秦天月十分肯定地回答。

"他头上有没有头发?"

"有的,但是不多,只有一百根。"秦天月说得这么精确,好像亲自去数过小人儿的头发似的。

"他穿衣服没有?"

"他的衣服和裤子是连在一起的,脚上还穿了一双翘头小皮鞋……"

"他会不会说话?"

"当然会说话,不然我怎么知道他叫'喜之郎'呢?"

耳闻为虚,眼见为实。有人提出要看看秦天月的那个里面有小人儿的"喜之郎布丁",秦天月坚决不答应。

"就是我拿来给你们看了,你们也看不见里面有小人儿的。"

"是呀,你们看不见的。"秦天月的应声虫王巧巧马上接过秦天月的话头,"只有小魔女的魔眼才能看见布丁里面有小人儿的。"

"真的?"几个女生又是一阵惊呼。

"当然是真的。"秦天月不满地看了大家一眼,"这个小人儿可神奇了! 有一次,有一道数学题我不会做,我想啊想啊,脑袋都想痛了,还是想不出解题的方法。这时候,那个小人儿,就是那个喜之郎跳到我的作业本上,给我说了一道公式,我一下子就把这道数学题解出来了。"

"哦?"

"还有一次,我晚上睡觉时忘记上闹钟了,第二天早晨,是喜之郎把我叫醒的。"

"他怎么叫的?"

"喜之郎跳到我的枕头上,在我的耳边大声喊道:'快起来! 要迟到了!'"

"噢?"

看着我们一个个目瞪口呆的样子,秦天月一定觉得挺好玩儿。

"我想要什么,喜之郎就能给我变出什么来。有一次走在街上,我突然想要喂一只小猫,回家一看,果然有一只小猫……"

有人发出疑问:"你在街上想什么,喜之郎怎么会知道呢?"

"他……他就在我的书包里呀!"秦天月只顿了一下,反应极快,"喜之郎会经常跑到我的书包里来……"

马上就有人去解秦天月的书包:"让我们看看喜之郎吧!"

秦天月抱紧她的书包:"现在喜之郎没有在我的书包里,他在家里。"

"那么,我们去你的家里看看喜之郎吧!"

"不行!"秦天月坚决地摇头,"你们会把喜之郎吓跑的。"

看不成喜之郎,大家都不甘心,只好问秦天月,她在哪里买的"喜之郎"布丁?

秦天月随口说了一家超市。

下午放学,好多人不约而同地来到这家不大不小的超市,不约而同地直奔卖"喜之郎"布丁的货架前。

货架上摆满了"喜之郎"布丁,各种颜色的。大伙儿不约而同地去拿那种金色的布丁。透过透明的塑料盒,能看见布丁里面确实有许多的东西,有葡萄干,还有红樱桃,就是没有小人儿。

尽管是不约而同的失望,但大伙儿还是不约而同地买了金色的"喜之郎"布丁带回家去,希望在夜深人静的时候,有一个叫"喜之郎"的小人儿从布丁里跳出来……

今夜有鬼

这天的军训结束了。晚饭后去洗碗,肥猫和几个男生

也来到水池边，见了我和欧亚菲，几个男生立即做出鬼鬼祟祟的样子。

我问："你们在做什么？"

"我们在说吓人的事情。"

"什么吓人的事情？"欧亚菲的好奇心特别重，"讲给我们听听。"

"不讲！"肥猫把他的脏碗伸到我们面前，"要听可以，把我们几个的碗都洗了，就讲给你们听。"

我立刻拒绝："不洗，我也不听。"

可是，欧亚菲想听。她小声和我商量道："要不，我就把他们那几个碗洗了。"

欧亚菲真的去把他们几个人的脏碗洗了。

"好了，快把吓人的事情告诉我。"

几个家伙把头凑在一块儿，鬼头鬼脑的样子。

肥猫说："我们只讲给欧亚菲听，不讲给夏雪儿听，因为夏雪儿没有给我们洗碗。"

我一听，转身就走。

刚走了几步，就听到欧亚菲一声惊叫。

"欧亚菲，你怎么啦？"

我看见几个男生围着欧亚菲，她的脸白得像一张纸。

"他们说，这里晚上有……有鬼……"

欧亚菲的眼睛都直了。

我说："是几个小鬼吧？"

"不是小鬼，是大鬼。"古龙飞说，"昨夜，我们都看见的。"

我问:"在什么地方?"

"在窗子外面。"

我又问:"什么时间?"

"半夜十二点。"

肥猫说:"很高很高,很大很大。"

米老鼠说:"穿一身白衣服。"

豆芽儿说:"走路是飘来飘去的。"

兔巴哥说:"这个鬼没有脸。"

我拉着欧亚菲的手往寝室里走。欧亚菲的手冰凉冰凉的。

我说:"欧亚菲,你别听他们几个胡说,军营里哪来的什么鬼?"

欧亚菲带着哭腔:"可是他们说得有鼻子有眼的……"

"什么有鼻子有眼?"我笑起来,"他们不是说,这个鬼没有脸吗?"

后来我把这个事情讲给小魔女刘杨惠子听,小魔女不愧是小魔女,她听了哈哈一笑。

"那几个小男生想玩'鬼'把戏?好,我们就来陪他们玩玩。"

我不明白小魔女话里的意思。

小魔女把我们寝室里的人召集在一起,如此这般地一说,我们很快地行动起来。

我找来一个有一米长、专门晾床单被单的大衣架,在衣架上披上一条白色的大床单。

"这就是那个穿白衣服的鬼。"

鬼身子有了,还差个鬼头。

小魔女有个大气球,正合适。反正那个鬼没有脸。

我们七手八脚把大气球绑在衣架的钩上。

一切准备就绪,只等深夜十二点的到来。

小魔女有个小闹钟,深夜十二点,小闹钟"嘀嘀铃铃"响起来。

"快起来! 快起来!"

小魔女把我们一个一个地叫醒。

我们不敢拉亮电灯,打开一只手电筒,把那个又高又大、只有头没有脸、穿着白衣服的"鬼"用一根长绳子吊起来,从窗口放下去。

今天给欧亚菲讲"鬼"的那几个男生就住在我们寝室的下面,我们在三楼,他们在二楼。

慢慢地将"鬼"放下去,悬在肥猫他们寝室的窗口上。

风把"鬼"的白衣服吹得飘起来,"哗哗"地拂着玻璃窗。

下面寝室一点动静都没有。

小魔女说,用一根长竿去敲打他们的玻璃窗,把他们吵醒。

"笃! 笃! 笃!"

"笃! 笃! 笃!"

只听下面寝室传来"噢"的一声嚎叫,这是肥猫像猫一样的叫声。

紧接着,"鬼来了!""鬼来了!"的惊叫声响成一片。

我们都捂住嘴巴,免得笑出声来。

"快把'鬼'吊上来!"

把"鬼"吊上来后,还听见下面的怪叫声,我们钻进被窝里笑得死去活来。

第二天,肥猫和米老鼠他们几个一副吓傻了的样子。

欧亚菲笑嘻嘻地去问他们:"昨晚,你们寝室怎么那样闹?"

肥猫说:"我们看见鬼了。"

"真的?"我和欧亚菲故作惊讶地异口同声问。

"骗你们是小狗。"肥猫绘声绘色,"那个鬼又高又大,

脑袋又大又圆,没有脸,穿一身白袍子,使劲地敲我们的窗子。等我们大叫起来的时候,那个鬼才飘走……"

"真的?"我和欧亚非又故作惊讶地异口同声说。

米老鼠怕我们不相信,举起他的右手:"我发誓,我们都亲眼见到了那个鬼……"

非常女生
FEICHANG NÜSHENG

之

侠义女生

戴安

非常档案

侠义女生

性格：爽直、内热外冷；喜欢依靠自己的力量，度过人生道路上的难关

外貌特征：个头比较高，身材很匀称；喜欢穿宽松的 T 恤和带很多口袋的肥大牛仔裤；剪男式的短发，像个假小子

家庭状况：她的家是一座独幢的小红楼，和妈妈戴小荷相依为命

最出格的事：喝了九杯红酒，把自己灌醉

最仗义的事：保护班花艾薇不受男生的欺负

侠义指数：☆☆☆☆☆

侠女戴安

星期一到学校，班上爆出一条特大新闻：戴安剪头发了！我不明白，戴安为什么要剪头发。在她身上，长得最漂亮的就要数她的头发了，又黑又亮，微微还有些弯曲，在脑后扎成一束马尾，从侧面看，还有那么一点点女孩子味道，使假小子戴安看起来不太像假小子。

戴安的头发，不仅又黑又亮，而且还又厚又多，把黄毛丫头萧依依羡慕得一下课就要去摸她的"马尾"，还不停地说："如果把你的头发换给我就好了！"

"想得美！"戴安立即推开萧依依的手，"我把头发换给你，你成了绝代佳人，我却成了'癞头'？"

剪了头发的戴安看起来怪怪的，横看竖看那头发都不像她头上长的，完全不听话似的蓬乱着，像一堆乱草？像刺猬？肥猫却说，戴安的头上套着一顶假发。

肥猫摇摇晃晃地晃到戴安的面前，眯缝着眼，左看右看，前看后看，然后一本正经地对戴安说："戴安，你这顶假发没有买好。"

"假发？什么假发？"戴安一时没有回过神来。

肥猫故作惊讶地指着戴安的头发："你这头发难道不是假的？"

"什么，假的？"戴安把头伸给肥猫，"你扯一扯，看是不是长在我头上的？"

肥猫还真的装模作样地去扯了扯，然后装模作样地说了声："哦，是真的。"

看着肥猫的表演，围观的几个男生早就笑倒在地上。

米老鼠说："肥猫，你真是下里巴人，人家戴安这发型是世界上最流行的'爆炸式'。"

豆芽儿附和道："人家戴安这发型才叫'超级酷'！"

戴安这才反应过来，她刚才被肥猫捉弄了。她跳过去揪肥猫的耳朵。戴安足足高出肥猫一个头，只那么稍微地往上一提，肥猫就踮起脚来嗷嗷怪叫。

"看，肥猫在跳'芭蕾舞'！"

正想把这场好戏看下去，上课铃却响了。

肥猫捂着红通通的耳朵，坐到座位上。他实在气不过，突然问我："你知道戴安原来叫什么名字吗？"

"不知道。"我说，"你知道？"

肥猫挺神秘地告诉我："戴安生下来的时候，叫戴安娜，后来越长越丑，越长越丑。哪里还敢跟世界第一美女——英国王妃戴安娜同名？只好把'娜'去掉。'戴安'的名字就是这样来的。"

"我不信。"

"不信？"肥猫一点不心虚，"你自己去问她好啦！"

下课了，肥猫和米老鼠几个男生如箭一般冲出教室，抢占乒乓球桌去了。

我去问戴安,问她生下来时是不是叫"戴安娜"?

"谁讲的?"

我把肥猫讲给我听的话都对戴安讲了。戴安眉毛立了起来,头发也好像全立了起来。

"这该死的肥猫,我一定要让他跳'芭蕾舞'!"

我想看肥猫跳"芭蕾舞",就带戴安到操场上去找肥猫。

乒乓球桌前围了一大堆人。我和戴安好不容易挤进去,只见几个六年级的大男生正在推肥猫。

肥猫抓住乒乓球桌的一角死死不放,憋红了脸说:"是我们先占到的桌子,我偏不让!"

"你再不走,我抢你的乒乓球拍。"

几个大男生按住肥猫,轻而易举就抢走了肥猫他爸刚给他买的乒乓球拍。

"干什么干什么?大欺小,你们害不害臊呀?"

戴安冲上去,从那几个大男生手里把肥猫的乒乓球拍夺了回来。

"他是谁呀?从哪儿冒出来的?"

那几个六年级的大男生大眼瞪小眼。可以肯定,他们都没有看出戴安是女生,因为她说话的声音很粗,又穿着一身肥大的运动装,再加上那一头乱蓬蓬的短发,不把她当做男生才怪呢!

有了戴安壮胆,刚才被吓得一声不吭的米老鼠和豆芽儿这下也来了精神,他们用大拇指指着戴安:"我们班的!"

那几个大男生还想较量一番,戴安毫不示弱地抄着双

臂,站在那儿斜睨着他们,对峙了将近三十秒钟,领头的大男生突然一招手,说了声:"走!"

几个大男生走了。肥猫和米老鼠、豆芽儿都欢呼起来。

戴安把乒乓球拍还给了肥猫,肥猫双手抱拳:"多谢侠女戴安!"

戴安哈哈一笑。我想她已忘记她要找肥猫算账的事了。

过了几天,戴安突然揪住肥猫的耳朵,又让他跳起了"芭蕾舞"。肥猫踮着脚,嗷嗷地叫道:"戴安,有话好说……好说……哎哟喂……"

"说,我生下来时叫什么名字?"

瞧,戴安今天想起这事儿来了。可怜的肥猫!

"叫戴安娜。我是听豆芽儿讲的。"

戴安放下肥猫，去寻豆芽儿。

豆芽儿躲在桌子下面大叫："是米老鼠讲给我听的。"

米老鼠呢？早在肥猫跳"芭蕾舞"的时候，他就逃得无影无踪了。

美女与"野兽"

侠女戴安侠肝义胆，最爱打抱不平。她看见那些讨厌的男生们老是捉弄美女艾薇，就自愿充当起艾薇的"护花使者"来。

艾薇和戴安成了形影不离的好朋友。艾薇如花似玉，戴安呢？不折不扣的一个假小子，一年三季都是那套蓝色的运动装，夏天也不穿裙子。还有那头乱糟糟的短发，还有那凶巴巴的表情……不知是谁最先把她俩比喻成"美女与野兽"，后来，就叫开了。

有戴安在艾薇的身边，男生们很难再捉弄到艾薇了。然而，防不胜防……

那天，艾薇穿了一条新裙子到学校里来，那是一条方格子的百褶短裙，把艾薇那匀称的双腿衬托得特别修长。

上音乐课时，查老师教了一首新歌，让艾薇上台去做示范演唱。艾薇从座位上站起来，我就发现坐在我身边的肥猫，捂住嘴巴在偷偷地笑。

艾薇走上台去，我们看见她的裙子后面粘着一块口香

糖,把一条一条的褶子粘得乱七八糟。

"嗷！嗷！嗷！"

这是肥猫的笑声。

"嘎！嘎！嘎！"

这是豆芽儿的笑声。

"吱！吱！吱！"

这是米老鼠的笑声。

"笑什么笑？"查老师从琴凳上站起来,"该笑的时候不笑,不该笑的时候乱笑！"

艾薇不知道大家在笑什么。看见大家笑,她也抿嘴一笑,更显得美丽动人。

在查老师的钢琴伴奏下,艾薇演唱完那首新歌,回到座位上。她还是不知道那些男生在笑什么。她居然去问她旁边的兔巴哥:"他们在笑什么？"

兔巴哥龇起他的大门牙:"我不说你也知道。"

旁边有女生悄悄告诉艾薇,她的裙子上粘了一块口香糖。艾薇用手一摸,就哭了。

戴安发誓要把这件事情查个水落石出。到底是谁故意把口香糖粘在艾薇的椅子上的？

调查首先从兔巴哥开始。因为他就坐在艾薇的旁边,他有"作案"的机会。

戴安抓住兔巴哥胆小怕事的弱点,第一句话就把他镇住了。

"你知道这个事情的后果吗？如果严老师知道了,如果你的家长知道了……"

这一招果然很灵,兔巴哥懒得抵抗,立即招供。

"不是我干的,是米老鼠干的。"

"他怎么干的?"

"他把口香糖嚼呀嚼呀,一直嚼……"

兔巴哥在耍滑头,戴安打断他:"别走题,拣主要的说。"

兔巴哥看了一眼比他高比他壮的戴安,不得不老老实实地回答:"他把口香糖嚼软了,就变得很黏,然后把它放在艾薇的椅子上。艾薇不知道,坐上去就粘上了。"

戴安押着兔巴哥去捉拿米老鼠。

米老鼠正玩得疯狂,突然被戴安揪住了耳朵。

"米老鼠,你今天又干了什么坏事儿?"

米老鼠嬉皮笑脸:"我只干好事儿,不干坏事儿。"

"是吗?"

戴安揪住米老鼠的耳朵向上一提,米老鼠就跳起了"芭蕾舞"。

"是我干的,哎哟喂——"

米老鼠龇牙咧嘴,叫个不停。但戴安手一松,他就向兔巴哥挥舞着拳头:"告密的叛徒!"

兔巴哥满肚子委屈,悄声说:"我也招架不住!"

戴安怒目而视:"说,该当何罪?"

　　米老鼠自知躲不过，给还在抹眼泪的艾薇鞠了一躬："小的知罪！"

　　"不行，三鞠躬！"

　　米老鼠怕被戴安揪住耳朵跳"芭蕾舞"，只好规规矩矩向艾薇一鞠躬，二鞠躬，三鞠躬。

　　"扑哧"一声，脸上还挂着泪珠的艾薇忍不住笑了。

　　米老鼠见艾薇已被他逗笑了，以为蒙混过关了，就想溜。

　　"站住！"戴安大喝一声。

　　米老鼠又退回来，小声嘀咕道："我都道歉了，还要我怎么样？"

　　"你以为道了歉就完了吗？违反了交通规则。认了错还要罚款呢！"

　　米老鼠的眼睛睁大了："难道你想罚我的款？"

　　"我没有权力罚你的款，但是艾薇的裙子是被你弄脏的，你说怎么办吧？"

　　"算啦！"没想到艾薇会帮米老鼠求情，"他已经道歉了……"

　　戴安生气了，冲艾薇叫道："我现在明白那些男生为什么老欺负你了，就是因为你心太软。你的事儿，我再也不管了！"

　　戴安真的一甩手走了。艾薇又开始抹眼泪，吓得在一旁的米老鼠不知所措，走也不是，留下也不是。

口香糖事件的最后结果

米老鼠把口香糖粘在美女艾薇的裙子上，侠女戴安站出来打抱不平，艾薇却为米老鼠求情，气得戴安发誓：今后再也不管艾薇的事了。

艾薇去找戴安："你说怎么办就怎么办。"

只一句话，戴安的气就消了。

戴安说："米老鼠这个小子太爱捉弄人，太爱搞恶作剧，每次不是蒙混过关，就是不了了之。这次你就得跟他较真，让他，还有那些男生从此以后不敢欺负你。"

有戴安撑腰，艾薇拿着那条粘着口香糖的方格子短裙去找米老鼠。

"米老鼠，我把这条裙子交给你，你看怎么办吧？"

艾薇把裙子递给米老鼠，米老鼠坚决不接。

"艾薇，我已经向你道歉了，你还要我怎么样？"

艾薇不知道说什么，因为她从来没有处理过这样的事情，她求助的目光四处寻找着戴安，米老鼠趁机溜掉了。

"不行，你还得去找他。"戴安对艾薇很不满，"别老想着我帮你，自己的事情自己解决。"

艾薇又拿着裙子去找米老鼠。

这次，米老鼠施展起他的表演天才来。他皱着眉头，一脸哭相，用低沉而诚恳的声音说道："请原谅我最后一次吧，

我一定痛改前非。"

米老鼠说着,还用双手捂住了眼睛。

艾薇以为米老鼠哭了,慌得连忙去劝他。

"你不要哭,不要哭嘛……"

米老鼠还真的抽抽搭搭起来,肩膀一耸一耸的。

艾薇心软,看见别人哭,她也要哭。

米老鼠从手指缝里看见艾薇埋头抹眼泪,偷偷一笑,趁机逃走了。

"你上他的当了!"戴安对艾薇说,"米老鼠诡计多端,他看准了你心软,所以用眼泪来骗你。"

艾薇可不想让米老鼠拿自己当傻瓜。她拿着裙子,又去找米老鼠。米老鼠见来软的不行,就来硬的。

"艾薇,你到底有完没完?"

"没完。"

艾薇的声音虽不大,但十分坚决。

"你再跟我说你的裙子,我就……"

米老鼠咬紧牙关,做出发狠的样子。

艾薇表面软弱,实际上是一个吃软不吃硬的人。她见米老鼠发狠,反而什么都不怕了。

"你说怎么样?说呀,说呀……"

米老鼠还没想好他要怎么样对付艾薇,看见艾薇手上的裙子,他就说:"我要用剪刀把你的裙子剪烂!"

"剪呀,剪呀!"

艾薇把裙子塞在米老鼠的手上。

米老鼠没辙了。他软硬兼施,艾薇软硬不吃,她怎么不像以前的艾薇了呢? 米老鼠想:都是受了戴安的影响,这就是美女和"野兽"在一起的结果。

米老鼠彻底服输了。他把艾薇那条粘着口香糖的裙子带回家里,还偷偷摸摸的,不敢让爸爸妈妈看见。

等爸爸妈妈睡了后,米老鼠跑到卫生间里,把门关起来,洗那条该死的裙子。可是,越洗越糟糕,那口香糖在裙子上粘得更紧了。

米老鼠用了高效洗衣粉,又用了去污洗洁精,手都搓红了,那粘在裙子上的口香糖还是没洗下来。

米老鼠快哭了,这次是真哭,不是假哭。

"早知今日,何必当初!"饱受折磨的米老鼠感慨万千,"害人终害己啊!"

米老鼠只恨世界上没有后悔

药卖,如果有,他一定买一大瓶,今后再也不做这样的坏事了。

米老鼠又后悔世界上没一种专门洗口香糖粘在裙子上的洗衣粉,如果有,他就不会在半夜,还关在卫生间里洗呀洗呀……

第二天,米老鼠红着眼睛去找艾薇,说洗了一夜,也没把裙子上的口香糖洗掉。一边说,一边还伸出红通通的双手给艾薇看。

艾薇和戴安都笑起来。

戴安向艾薇使了个眼色,艾薇点点头,对米老鼠说:"裙子的事就算完了。如果你今后再……"

米老鼠赶紧说:"不敢不敢,再不敢了……"

看米老鼠没精打采地走了,戴安和艾薇击了一个响掌:"耶!"

水中的美人鱼

四个坏小子无论如何不愿意相信,那在水中像鱼一样游动,有着和美人鱼一样曼妙的身体,这个人竟会是戴安——假小子戴安。他们更愿意相信,这条"美人鱼"是美女艾薇或小魔女秦天月。

四个坏小子早就换好了游泳裤,在游泳池边上站成一溜,花里胡哨的跳水动作只敢在岸上做,就是不敢往水里跳,都怕跳进水里遭到"美人鱼"的袭击。

　　肥猫本来不想看戴安,可那水中的"美人鱼"就像有一种超强的磁力,硬是把他的眼球往她身上吸。

　　"我怀疑这游泳池的水有问题。"肥猫说,"为什么戴安在岸上像个男的,在水里就像女的?"

　　"这游泳池里的水很可能是一种魔幻水。"米老鼠煞有介事,其实是想使坏,"肥猫,你跳下去试试,说不定你在岸上是肥猫,跳进水里就变成瘦猫。"

　　"幼稚! 不知你们听说过没有,女人是水做的?"

　　豆芽儿又有一番谬论,他现在全身光溜溜,当然还穿着一块巴掌大的游泳裤,瘦骨嶙峋,胸前的肋巴骨一条一条,清清楚楚地排在那里,看起来特别令人可怜。

　　肥猫挺着白花花的将军肚:"那我们男人是什么做的?"

　　"是泥做的。"

　　米老鼠在一秒种之内抢答了,豆芽儿极其不满地朝米老鼠翻翻白眼,他以为只有他才知道"女人是水做的,男人是泥做的"。

　　豆芽儿不再理睬米老鼠,继续他的谬论:"戴安本来是个假小子,为什么她在水里就不像假小子了呢? 那是因为水把她还原成了女孩子。兔巴哥,你说我说得对不对?"

　　兔巴哥是今天真正的主角。今天,是他的生日,那种点生日蜡烛吃生日蛋糕的生日会,实在提不起大家的兴趣。这才把兔巴哥的生日会开到了游泳馆里来。

兔巴哥愣在那里,他压根儿就没听豆芽儿在讲什么。

豆芽儿奇怪了:"你两眼一眨不眨地盯着我,却不知道我在说什么?"

"我在数你有几根肋巴骨。"

"有几根?有几根?"

肥猫和米老鼠都凑过去,数豆芽儿的肋巴骨。

"美人鱼"过来了,悄悄的,是潜水过来的。游泳池那边,几个裹着浴巾的女生,都朝这边看——一场好戏就要开演了。

穿泳衣的双面女孩

扑通一声,正聚精会神数豆芽儿肋巴骨的肥猫,还没来得及叫,就被"美人鱼"拖下了水。肥猫扑腾起几朵雪白的浪花之后,便四平八稳地浮在水面上,像一个吹足了气的肉皮球。

戴安本来是想把肥猫拉下来,呛他几口水的,无奈肥猫身上的脂肪太厚,浮力太强,怎么摁,都把他摁不到水里去。

肥猫索性就把双手抄在胸前,舒舒服服地漂在水面上,任戴安随便摆布。在陆地上,他肥猫不是戴安的对手。在水里就不一样了,有这一身脂肪,谁怕谁?

在水里,戴安还真把肥猫奈何不得。她才不和他死缠烂打,那岸上还有几个呢。戴安扔下肥猫,游上岸来。

出水的戴安,格外引人注目。水珠儿从她那白玉一样

光滑剔透的皮肤上滚下来,宝石蓝与柠檬黄相间的高弹力泳衣,绷勒出她刚刚发育的胸和柔软的腰……

沿着池边,戴安从两个正躺在躺椅上聊天的女人的身边经过,她不明白这两个女人为什么会对她大惊小怪。

"瞧瞧,这小姑娘的身材比例!"

"真的,典型的黄金分割!"

两个女人都从躺椅上坐起来,把戴安从头到脚看个遍。

"你看你看,她的小腿!"

"哦,我从没见过线条这么美的小腿!"

戴安抬起她的一条小腿:"你们在说我吗?"

戴安不以为然。她从来没有在意过她的小腿,更没有发现过她的小腿还有着优美的线条,今天是第一次听别人说她的小腿。关于黄金分割的身材比例,更是前所未闻。如果不是在游泳池里穿泳衣,是没人能看见她身材的比例的,也没人能看她的小腿,因为平时,她从来不穿裙子。

戴安朝豆芽儿他们走来。几个男生都不知道自己的眼睛怎么办,想看戴安又不敢看,把头扭向一边,装着不认识戴安的样子。平日里,他们见惯了假小子一样的戴安,从来不把她当女生,只把她当铁哥们儿。读五年级的时候,他们几个和六年级的大男生争乒乓桌,大男生仗着他们个高,力气比他们大,硬是让他们丢尽了男子汉的脸。后来还是戴安挺身而出,才又让他们把男子汉的脸捡回来。

戴安根本不知道他们心里在想什么,只觉得他们今天的样子特别傻,戴安就觉得好玩。她一伸手,便拧住了豆芽儿的耳朵，她就喜欢玩这个——让男生跳芭蕾。戴安有一米六八高，班上所有的同学都比她矮，豆芽儿足足比她矮了一头，她只要拧住豆芽儿的耳朵轻轻往上一提，豆芽儿就得踮起脚尖来跳芭蕾。

"哎哟，哎哟！"豆芽儿龇牙咧嘴，嘴巴歪到一边，"男女有别！男女有别！"

以前也有这样的遭遇，豆芽儿叫得都是"哎哟，哎哟，戴安手下留情"，今天叫得模模糊糊，戴安听不清楚："你说什么？"

米老鼠代豆芽儿回答："他说男女有别，你是女生，我们是男生。"

"废话，我知道你们是男生。"

戴安看兔巴哥一直闭着眼睛，就去拧他的耳朵，命令他把眼睛睁开。

"我不睁！"兔巴哥把眼睛闭得更紧了，"你去把衣服穿上我就睁！"

戴安松了手，一低头发现自己的身体已有了好看的曲线。

角色错位

戴安无动于衷。她面无表情，像一个任人摆布的木偶。

戴小竹一巴掌拍在戴安的背上："别老窝着胸！"

戴安挺直了背，微微隆起的、圆圆的乳房在打着褶皱的

衣服里若隐若现。

"戴安,你已经是大姑娘了,该戴胸罩了。"

戴安明白戴小竹话里的意思。几个月前,她来了月经,来了月经的女孩子就不是小姑娘了。去年暑假,她的胸部还像男孩一样平坦,今年暑假,胸前便隆起两个像小圆面包一样的东西。这样的身体变化,给戴安带来了很大的心理变化。她不安、恐惧、焦躁。

在这之前,她是喜欢和男孩子在一起的,因为她个子高,还习惯把手随意地搭在哪个男生的肩上。

自从那一天开始,她跟男生在一起,在心理上便有了异样的感觉。当戴小竹知道她来了月经,激动得紧紧握住她的双手:"戴安,记住这一天:你的心情,你的感觉。记住它的美好。"可是,戴安记忆中的这一天,她的心情糟糕极了,她的感觉矛盾极了。这一天在戴安的记忆里,一点都不美好。

最要命的是痛经。每个月一次,戴安的肚子痛如刀绞,从小到大,戴安几乎没有受过疾病的痛苦,最多也就是发过几次烧,打过几次青霉素。这每月必须经历的痛,都在警示戴安是个女孩子。

虽然女婴一出生,就注定要扮演的是女性角色,但戴安却因为是非婚生的孩子,一生下来就没有父亲,这样的命运使她的女性角色产生了变异。

戴安的母亲戴小荷是个特别柔弱的女人,戴安的父亲是她的大学同学。在他出国的那一天,他正式向戴小荷提出分手,因为他出国是为了继承一笔遗产,他不可能再回国,而戴小荷又不可能跟他出国,因为她有一个年迈的妈妈和一个年幼的妹妹需要她照顾。其实就在那一天,戴小荷已经知道自己怀孕了,她怀着戴安,本来她是要告诉他的。

肝肠寸断的戴小荷把到了嘴边的话咽了下去,她不告诉他怀了他的孩子,但她一定要把这个孩子生下来,因为这个孩子是他的,她是那么爱他。

几个月后,戴小荷生下一个女婴,就是戴安。因为戴小荷是非婚生的孩子,除非她把戴安送人,否则她保不住自己的公职。戴小荷有个很好的工作,她是一家服装研究所的服装设计师。戴小荷要戴安,不要公职,所以她被服装研究所开除了。

戴小荷在大学里学的是服装设计,有一门做旗袍的好手艺。她一边抚养戴安,一边给人做旗袍。

戴安一天天长大了,戴小荷给人做旗袍的名气也越来越大,挣的钱足以让戴安过上优越的生活,还供妹妹戴小竹读了大学,读了研究生。

除了戴安的小姨戴小竹外,没人知道戴安的爸爸是谁,连戴安的外婆也不知道。

戴安就在这座独门独户的老房子里长大,就在三个女人的宠爱中长大。

这个家里没有男人,外公在戴安出生前就去世了,妹妹戴小竹是个单身女人,姐姐戴小荷是个有孩子的单身母亲。

戴安从来没有见过爸爸,小时候,她问得最多的问题就是她的爸爸。

一遇到戴安的问题,戴小荷就会难过得说不出话来,所以戴安的问题,一般是由小姨戴小竹来回答。

"你爸爸在很远很远的地方。"戴小竹转动着地球仪,"我们在地球的这一边,你爸爸在地球的那一边。"

"那我爸爸长什么样子?"

"你爸爸呀,他的个子很高,穿一件黑色的长风衣。他的眼睛不大,是单眼皮。他的鼻子很挺,他还有一个优雅的下巴。"

"小姨,什么叫'优雅的下巴'?"

戴小竹也不知道什么叫"优雅的下巴",这只是一种感觉。她看男人,首先看这个男人的下巴,她觉得男人的下巴最能体现男人的性格。

其实,戴小竹也没见过戴安的爸爸,她对戴安描述的那番话,全是她想象中的,是她心目中理想男人的形象。

这个家里,太需要一个男人来保护她们了。戴安要来做这个家里的男人。

她开始是把自己想象成男孩子,渐渐地,她真把自己当男孩子了。

她从来不扎辫子,不穿花衣,不穿裙子,不玩洋娃娃,不当着人流眼泪。当然,她也会流眼泪,在想爸爸的时候,她把自己关在卫生间里,对着镜子流。

把自己灌醉

对于安先生,戴安为什么和他一见如故?为什么会对他产生依恋?为什么见了他就不能忘记……这么多年,他就一直在戴安的梦想里。对戴安来说,安先生是不真实的,他身上有太多太多的可疑;戴安不敢去想,她怕想穿想透了,这个梦便没有了。现在,当安先生真的从梦中走出来,千真万确就是她的亲生父亲,戴安无论如何不能接受这个现实,她不能原谅他。

戴安吹着口哨,把脚跷到茶几上。戴小荷已经很久没看见她这副吊儿郎当的样子了,她感到害怕。

"戴安,你别这样!"

如果戴安生气,戴安愤怒,戴安发疯,甚至戴安离家出走,可能都比戴安这样子让戴小荷心里好受些。

"戴安,你不要恨你爸爸。他出国的时候,并不知道我已经怀上了你。"

"你恨他吗?"

戴安的声音比她脸上的表情更冷。

戴小荷不知道怎么回答戴安的这个问题。她和他的恩

恩怨怨，哪里是一个"恨"或者"不恨"说得清的？

戴小荷只能这么跟戴安说："我很感激他，我感激他送给我一个无价之宝，这个无价之宝就是你——戴安。"

戴安眼睛都不眨一下，只在心里冷笑。

"我还感激他让我做了世界上最幸福的母亲。"

"你幸福？"

做单身母亲太不容易了。戴安不相信戴小荷会有幸福的感觉。

"我真的很幸福，戴安！"戴小荷说的是真心话，"单身母亲需要付出更多的勇气和艰辛，而母爱是一种最无私的爱，付出越多，这种幸福感越强烈。"

戴安想哭。但她不能让眼泪流下来，尤其是不能让戴小荷看见她的眼泪。在她很小很小的时候，戴小荷就没见过她的眼泪了。因为在她很小很小的时候，她就已经意识到她和妈妈的生活中，缺少一个男人，缺少一种呵护，她要保护她妈妈和她自己。所以她不能像别的女孩那样想哭就哭，更不能让妈妈看见她哭。

戴安不想再听戴小荷跟她谈起他，她想一个人安静地待一会儿。她不让眼泪流出来，心里却堵得慌。

等戴小荷上了楼，戴安拿了一瓶红葡萄酒回到自己的房间。她要把自己灌醉，醉了就什么都不知道了。

戴安把酒倒进一个高脚杯里。她喜欢红葡萄酒的颜色，还喜欢酒倒进杯里的声音。她还不会喝酒，却要一杯一杯地喝，看喝到第几杯时才醉。

第一杯喝下去时，戴安的眼泪便如泉涌。她一杯接一杯，越喝越猛，泪水顺着眼角往下流，酒顺着下巴往下流，流在衣服上，流进头发里。已分不清哪是酒，哪是泪。

"八杯……九杯……"

手中的酒杯在戴安的醉眼中晃动出一片红光，戴安躺倒在地板上，杯中的红酒在地板上流淌……

痞女做派

第二天,戴安没去学校上课。

她把肚子里所有的酒都吐光后,酒醒了,头却疼得要命。

戴小荷给戴安请了病假。当她知道戴安是喝醉了酒,是她自己把自己灌醉的,她不忍心责怪戴安,只有她知道,戴安的心里有多苦,有多痛。

戴安不吃不喝,昏睡一天。

第二天到学校,大家都觉得戴安又变成了原来的假小子了。穿一条裤脚大得吓人的哈韩口袋裤,一双球鞋,把一头本来已经柔顺起来的头发,又弄得乱糟糟的。

她一进教室,就吹了一声长长的口哨,算是给大家打了招呼。

等大家回过神来,戴安已经坐在她的座位上,一脸冰霜,谁都不理。

“戴安,你生病了?”肥猫作巴结状,“我正想今天下午放学后去看你,都想好给你买什么东西了,你怎么就来了呢?”

戴安看都不看肥猫一眼。

米老鼠屁颠屁颠地去给戴安倒了杯开水来,叫戴安吃药。

“有病吃药好得快!”

米老鼠一副苦口婆心的样子。

“戴安,你吃的什么药?你是不是把药吃错了?”

豆芽儿真的认为戴安是吃错了药,才变得这么不可思议。

所有的人,戴安通通不理。

昨天,当李小俊知道戴安请了病假,他就不相信戴安是生病。他昨天往戴安家打了电话,是她妈妈接的,说戴安在睡觉。今天看戴安的情形,他更不相信她昨天是生病。一定是出了什么事。

下午放学,李小俊在戴安家的附近截住了戴安。

戴安还是一脸冰霜。

"戴安,我知道你没病。告诉我,出了什么事?"

"没有。"戴安推开李小俊,"我要回家。"

"戴安!"李小俊追上去,"如果有什么事,你一定要告诉我。"

戴安闭上眼睛。当她再把眼睛睁开的时候,长长的睫毛尖上,已挂上了细小的泪珠儿。她拍拍李小俊,故意做出很痞的样子:"快回家去!"

"戴安,我不喜欢你这样子。"

戴安嘻皮笑脸地问李小俊:"那你喜欢我什么样子?"

"我喜欢那天晚上,你扮做仙女的样子。"

"让你的仙女见鬼去吧! 那是装的,骗人的,你知道不知道?"戴安恶狠狠地用手指着自己的鼻尖,"我告诉你李小俊,现在站在你面前的,才是真正的戴安。我凭什么要你喜欢? 全世界的人都不喜欢我,我才高兴呢!"

"戴安,我不是那意思。"李小俊执著地跟着戴安,"我只是想帮你。"

戴安被李小俊眼睛里的那种无辜所感动,她心软了。

"你帮不了我。"

"但我还是想知道。"

"我说了你也不会懂的。"

"你说吧!"

"有一个女孩,从小就没见过她爸爸,但她每天都会想象她爸爸是什么样子的,会穿什么衣服,会干什么。她一天天长大了,她爸爸的形象也在她心中一天天清晰起来。突然有一天,一个男人出现在她身边,这个男人跟她想象中的爸爸一模一样,而他真的就是她的爸爸……"

"你说的是不是安先生?"

李小俊情不自禁地打断了戴安的话。

"你怎么知道的?"

李小俊说:"从我看见他的第一眼,我就有这样的感觉。"

毛毛虫变蝴蝶

寒假快要结束,戴安要开学了,戴小竹也要带着她的狄夫回到大学去了。

这个假期,不知道是不是因为多了一个狄夫,戴小竹和戴安之间,有了一些微妙的变化。

从前,戴小竹每个假期回到家里,跟戴安都有问不完的问题、讲不完的话。她是研究心理学的,恨不得钻到戴安的心里去，了解她，分析她，进而开导她。戴小竹乐此不疲，她说她在活学活用。

过去的一学期，在戴小竹离开的日子里，戴安经历了那么多的事情，有了那么多的烦恼，她以为戴小竹这次暑假回来，会天天给她上心理课。还有，戴小竹已经知道安先生回来了，戴小荷可能会告诉她，戴安不知道他是她的亲生父亲之前，跟他经常见面。知道之后，又……戴小竹知道这些复复杂杂、曲曲折折的经过后，戴小竹又会用什么样的理论活学活用呢？

出乎预料的是，这次戴小竹回来，极少跟戴安讲什么，对安先生更是只字不提。为此，戴安对戴小竹充满了感激，她不愧是学心理学的，不像那些自以为是的大人们，总是在孩子心事重重、心绪很乱的时候，来充当孩子的精神导师。

临走的前一天晚上，戴小竹来到戴安的房间。

"戴安，这次回来，你让我有一个很惊喜的发现：毛毛虫变蝴蝶了！"

戴安早已习惯了戴小竹说话的方式，她知道精彩就在后面。

"你知道吗，毛毛虫要变成蝴蝶的那一时刻，是最痛苦、也是最美丽、最悲壮的时刻。戴安，你现在就是那只毛毛虫，马上就要变成一只美丽的蝴蝶，在这样的时刻，你的心灵需要的不是教诲，而是一份宁静，一份和谐。这样，在孤独的境界里，你的灵魂才能进入沉思状态，进行精神上的反省和自我交流。这个过程，也许是很痛苦的，甚至残酷，但

对于一个人的成长是不可缺失的。"

　　戴小竹这番深奥的话,戴安不是全懂,但有一点她是深有体会的:有许多想不通的事情,不是听别人讲道理讲通的,而是自己想通的。想通了以后,就能感到自己长大了一点点。

非常女生
FEICHANG NÜSHENG

之

坚强女生

梅
小
雅

非常档案

坚强女生

家庭状况：住在一栋很旧的红砖楼里，父母离
　　　婚，母亲下岗

性格特点：懂事，勤快，要强

最感激的朋友：冉冬阳

最反感的事：别人的怜悯

最自立的事：照顾有哮喘病的妈妈，自立更生
　　　养家糊口

坚强指数：☆☆☆☆☆

友 情

梅小雅仍然没有来。

她的座位就在我的前面。当我看黑板时,目光越过她空空的座位,我就老走神,注意力怎么也集中不起来。

淅淅沥沥的小雨下了一天,那又低又暗的天空犹如我的心情,一想到小雅就怎么也开朗不起来。

吃晚饭的时候,餐桌上有妈妈特别为我做的藕饼,可是我一点儿胃口都没有。要是遇到我心情好,我一个人能吃掉一大盘。

“怎么啦?”妈妈夹起一块藕饼放在我的碗里,“在学校里遇到什么不开心的事了?”

“梅小雅昨天没到学校报到注册,今天也没到学校里来上课。”

“不会吧?”妈妈惊讶地看着我,好像是我撒了谎,“上学期期末开家长会,罗老师念了你们班学生的成绩名次表,梅小雅总分名列第三,考重点中学大有希望,突然不来上学了,没有什么道理呀……”

“什么?什么?”我赶紧打断妈妈的话,“罗老师给我们班排了成绩名次表,我怎么不知道?”

“你们罗老师没有在班上宣布这份名次表?”妈妈也很

诧异。

我摇了摇头。

"我当时也感到有些奇怪,我想,给学生成绩排名次,不像是罗老师的做派呀。她当了你们五年的班主任,我应该还是了解她的。我想这大概是学校的意思吧,给将毕业的学生排成绩名次,以此引起家长的重视。"

"那么,我排在第几名呢?"我声音小得似乎只有我自己才能听见,上学期我的语文考砸了,名次肯定不会在前面。

"第十八名。"

没想到妈妈竟能如此平心静气,因为我心里明白,这样的成绩远远不是她所希望的。

"你为什么没有骂我?"

"我看了你的卷子,数学一百分,没什么说的。语文九十三分,主要失分在作文的审题上,这就是在暑假里我为什么要你多读命题作文的原因了。分数不能说明一切,我认为你已经努力了,干吗还要骂你?"

我突然说不出话来,只有在心里说:"妈妈,谢谢你!"然后将妈妈夹给我的那块藕饼吃了下去。

"梅小雅的成绩倒是突飞猛进,"妈妈接着说,"罗老师在家长会上特别表扬了她,说她原来只是班上的中等生,现在能一跃而成为班上的第三名,这跟她的刻苦努力是分不开的。我看见她妈妈的眼睛都红了,我知道她是你的好朋友,所以散会后,我特别去向她妈妈说了几句表示祝贺的话。"

"她妈妈说什么了?"我特别想知道。

"她妈妈说,我为小雅吃了很多苦,但是看到小雅这么乖,就是吃再多的苦也值得。后来,我见她去问罗老师,小雅能不能考上重点中学? 罗老师说,这很难说,只有那么几个名额,二百多个毕业生争,竞争是很激烈的。"

"她妈妈听了,又怎样呢?"

"她妈妈好像很焦虑。她对我说,她一定要让她的女儿考上重点中学。"

听了妈妈这番话,我更不明白了,既然小雅妈妈一心要让小雅考重点,为什么小雅又没来上学呢?

我必须再到小雅家去看看。妈妈说天快黑了,我说如果今天不找到小雅把事情搞清楚,我晚上会睡不着觉的。

老远就看见那栋红砖楼里小雅家亮着昏黄的灯光。啊,小雅家里有人! 是小雅妈妈来开的门。她们正在吃晚饭,桌上只有一盘炒青笋和一小碟豆腐乳。小雅妈妈要去给我做蛋炒饭,我忙说我已经吃过了。她又拿出几个又青又小的苹果让我吃。

小雅好像不高兴的样子。她只抬起眼睛看了我一眼,仍然埋头吃她的饭。

小雅妈妈很尴尬地朝我笑笑,拉拉小雅,小声说:"小雅,冉冬阳来了。"

"我知道啦。"

等小雅妈妈转身进了厨房,我悄悄地问小雅:"你怎么没来上学?"

小雅的回答对我来说简直是个晴天霹雳,她说她转学了。

　　"你有没有搞错哇?"我几乎要叫起来,"我们的学校可是省里的重点小学,还有比我们学校更好的学校吗?"

　　小雅把我往外拉:"我们到外面去说。"

　　来到附近的一家超市,超市门前有一排坐椅,我们俩就找了两个座位坐下来。

　　"说呀,为什么转学?"

　　"我妈妈一定要我考上重点中学,她问我有没有把握,我说没有多大把握,因为班上成绩好的同学太多了。后来不知是谁给妈妈出了一个主意,让我到矮子堆里去充高个儿。"

　　"这话怎么讲?"

　　"就是把我转到普通学校去,这样的学校也有进重点中

学的名额,但对我来说,竞争小了,考重点的把握却大了。"

原来是这样。

"你愿意吗?"我问小雅。

小雅的头摇得像拨浪鼓:"不,我还是喜欢原来的学校,喜欢罗老师,再说那里也没有像你这样的好朋友……"

说到这里,我看见小雅长长的睫毛上挂着泪花,我心里也怪难受的。

"你妈妈也真是的,干吗要让你做你不愿意做的事情?"

"我不怪我的妈妈。"小雅说,"她过得很苦,我是她唯一的希望,她说这一辈子的愿望就是要让我读大学,做一个有出息的人。"

天已经不早了,我们都该回家了。我俩站在路灯下,第一次有了依依惜别的感觉。

"小雅,你转学了,可我俩还是好朋友,是不是?"

"我们当然是好朋友。"小雅显得很激动,"我永远不会忘记,在我们家最困难的时候,是你在我身边,你给过我许多帮助……"

小雅哭了,我也哭了。

生　活

做完所有的作业,已经下午三点多钟了。昨天就约好了,小雅今天陪我一道去买彩色橡皮筋。

我们来到亚洲大厦,找到卖小饰物的地方。这里的小饰物真多呀,全都装在透明的玻璃纸袋里,挂在架子上,看起来琳琅满目。

我在一堆花花绿绿的小饰物中找到了一包彩色橡皮筋,一看定价:二元五角。我正要掏钱买,小雅悄悄地拉我的衣角:"不要买,太贵了。"

我把橡皮筋拿在手上,心想,这大商场里的价格还会有错?

"买不买呀?"一位眼影涂得很重的小姐走过来,白了我一眼。

"我们不买。"小雅把我手中的橡皮筋往小饰物堆里一放,拉着我出了商厦大门。

"我带你去一个地方买,跟你刚才手上拿的橡皮筋一模一样,可是只卖五角钱。"

小雅带着我穿过熙熙攘攘的人流,拐进商厦背后的一条小巷。小巷很窄,但是很长,两边是一个挨着一个的铺面,商品如小山一般都堆在门口。

小雅说:"这里是小商品批发一条街,商场里卖的东西,这里都有。"果然像小雅说的那样,这里什么东西都有,只是没有商场里摆放得好看。而且,这里基本上是一个铺子经营一种商品。

我们来到一个专门经营小饰物的铺面,彩色橡皮筋就装在门口的一个大塑料桶里,满满一桶跟我们在商场里看到的一模一样。而且颜色还要多些,才五角钱一包,真是把我高兴死了。

我们又一个铺面一个铺面地看,里面的商品价格至少比商场里卖的要便宜一半。我这就搞不懂了,这个小商品批发一条街与商厦不过五分钟的路程,商品价格却这么悬殊?

小雅说:"生意上的事情,我也不懂。"

在回家的路上,我们又到了几家门面不大的小商店里看了看,也有彩色橡皮筋卖。每袋价格在一元至二元不等,也比批发街上一袋五角钱翻了几番。

我说:"做生意还真能赚钱呢。"

"那当然,"小雅说,"我妈妈以前帮人家守摊儿,老板一天能赚好几百元呢!"

"你妈妈现在不是没工作吗?"我好像发现了新大陆,"为什么不去做生意呢?"

"是呀,我妈妈应该去做生意呀!"小雅也像一觉睡醒的样子。我和小雅几乎是一路小跑,来到小雅的家。

小雅的妈妈正要出门,我和小雅把她往屋里推。

"阿姨,你快去做生意吧!"

"是啊,妈妈。做生意能赚好多钱。"

小雅妈妈笑道:"两个傻丫头,做生意是需要本钱的。"

"本钱?"我们一头雾水,"什么本钱?"

"嘿,跟你们这样说吧。租铺面要不要钱?进货要不要钱?这就是本钱。"

"你不是还有一点存款吗?"小雅小声说。

"那钱可不能动,万一你考不上重点中学,这钱可要派用场的。"

"妈,我保证能考上重点,你还是把钱拿出来做生意吧。"

我知道小雅说这句话时,她心里有多么的无奈。六年级的学生,千军万马过独木桥,谁敢夸这样的海口?可怜的小雅。

小雅妈妈好像有点动摇了:"就是把钱拿出来,也不够呀。再说,现在的生意也不好做,做什么呢?"

"就做小百货生意吧!"小雅说。

小雅妈妈的眉头皱紧了:"就那点存款,做小百货也不够呀!"我想我还有几百元钱的存款,就很牛气地对小雅妈妈说:"阿姨,你看还差多少,我还有几百元。"

小雅妈妈笑了,她慈祥地拉住我的手,说:"不是差几百元,而是几千元。谢谢你,小冬阳,你真是个好心的姑娘。"

从小雅家出来,一定要帮助小雅家的愿望是这么强烈,只是我心有余而力不足。

体验艰辛

国庆节放三天假。

妈妈单位里发了一箱红富士苹果,一个个红得可爱。我想起那次在梅小雅家里,她妈妈端出来请我吃的那一盘又青又小的苹果,就对妈妈说:"能不能给小雅家送几个去?"

"行。"妈妈爽快地答应了,"你挑几个最好的送去吧!"

我从箱里挑出八个又大又红的苹果,装在一个塑料袋里,然后问妈妈:"需要买点什么回来吗?"

妈妈给了我三十元钱,说:"一时想不起要买什么,你看着买吧!"

小雅家的小店开起来了,卖点小百货小食品,因为价格比一般商店要便宜,所以生意还挺红火的。以前,我们家所有的东西都是妈妈买,自从小雅家的小店开张后,我就抢着买东西了。我们家楼下就有商店,有超市,可是我宁愿多走一点路,也要到小雅家的小店去买。小雅妈妈要给我打折,我坚决不同意。

来到小雅家的小店,小雅不在,小雅妈妈的哮喘病又发了,不停地咳嗽,喉咙里像有个风箱,呼哧呼哧地响。

"小雅呢?"我问小雅妈妈。

"小雅进货去了。"

"小雅真能干。"

"有什么办法呢?"小雅妈妈说一句就要喘一下,"生在我们这样的家庭,不能干不行呀!"

这时,买东西的人多了,我让小雅妈妈坐下来收钱,我给顾客拿货。

这些顾客大都是小雅家的邻居,他们都问小雅妈妈:"这小姑娘是谁呀?这么勤快?"

"模样儿也招人喜欢,笑眯眯的。"

就像听见别人夸奖自己的女儿一样,小雅妈妈的脸笑

成了一朵花儿:"她是我们小雅的好朋友。"

"哟,好朋友来帮忙啦!"一个阿姨还伸手摸了摸我的脸,"小雅乖,她的朋友也这么乖,我今天要多买一点东西。"

这个阿姨买了两大包的东西,高高兴兴地走了。

"真是开门大吉!"小雅妈妈一高兴,也不那么喘了,"冬阳,你真是我们家的福星。"

这时,小雅回来了。她骑的是一辆旧自行车,车上驮着几大包东西。可能是累的,小雅的脸红红的,额上的一绺头发已经被汗水粘住了。

我帮小雅把货从车上卸下来,搬进屋里。

"累了吧?"我拿出一个苹果给小雅,"快吃一个苹果吧!"

"我等一会儿再吃,"小雅说,"我得赶紧把货登记了上柜。"

"我帮你登记吧!"

小雅递给我一本账簿,就像小雅的作业本,写得工工整整,小雅教了我怎么记,然后我记一样,小雅再把那样东西摆上货柜。

我说:"小雅,你今后长大了一定是一个了不起的商人!"

小雅妈妈说:"我们小雅可不做商人,我们小雅要上大学,做有学问的人。"

"谁说商人就没有学问?"小雅说,"我要先读大学,再做一个有学问的商人。"

"唔,我发现你经商特别有天赋。"我掏出妈妈给我的三十元钱,"我要买五袋洗衣粉,两袋味精。"

"不卖!"小雅白了我一眼。

"为什么?"我叫起来,"哪有商人不卖东西的?"

"你前两天才来我们这儿买了四袋洗衣粉,两袋味精,难道你们家又开洗衣店又开饭店呀?"

哟,真的,瞧我这记性。我看见小雅今天进了一大包卫生巾,就说:"你看我三十元钱能买多少包卫生巾,我全买成卫生巾。"

小雅赶紧把我拉到一边,悄悄问道:"你'那个'了?"我

摇摇头。

"那你买卫生巾干什么?"

"我觉得我快了,你瞧我个子长得这么快,乳房也开始胀痛了,这都是月经来潮的征兆,所以我应该买一些卫生巾预备着。"

小雅在听我说话的时候,嘴张得圆圆的,眼睛也瞪得圆圆的。

"你怎么会懂这么多?"

"罗老师在班上讲的。"

"在班上讲的,有男生在?"

"罗老师就是要讲给他们听,教育教育他们。你知道那些男生有多么愚蠢吗?吴缅和南柯梦吵架,居然说南柯梦来月经是老天爷对她的惩罚。为这事儿,到现在我还没理吴缅呢!"

小雅对我做了一个鬼脸:"你不是跟吴缅挺好吗?"

我打了小雅一下:"谁跟他好! 不过自从听了罗老师讲了女生的这些秘密后,吴缅虽然没有向南柯梦道歉,但有一点知错的意思。没有再跟南柯梦吵架,所以我准备原谅他,跟他和好。"

"罗老师真好!"小雅像在自言自语,"我真不该转学。瞧你懂得那么多,我对这些事情还一无所知呢。"

"没关系,我会讲给你听的。"

我把罗老师给我们讲的,又原封不动地讲给小雅听。还拆了一包卫生巾,教她怎么用。

看看快中午了,我们家还要来客人,我得赶紧回家帮妈妈做点事儿。

提着一大包卫生巾往家走,每次来小雅家的小店帮她们做一点事,我总有长大成人的感觉。

拒绝怜悯

昨天晚上下了一夜的雨,雨夜的睡梦格外香甜。早晨的雨声更响了,真想赖在床上不起来,但想到跟梅小雅约好的,数了"一二三",强迫自己起了床。

爸爸妈妈还在睡觉,我喝了一杯牛奶,吃了一个面包,然后带上我的小红伞出了门。

当我出现在小雅家的时候,小雅和她妈妈都很吃惊。

小雅说:"下这么大的雨,我以为你不来了。"

我说:"你别忘了,我是很守信用的哦!"

小雅妈妈看着窗外还下得很密的雨,说:"要不今天就不要去了。"

小雅说:"今天不去,又要等到下星期,货架上的货早卖空了。"

小雅妈妈叹了口气,还是让我们去了。

外面风雨交加,我和小雅合打一把雨伞,小小的雨伞根本挡不住这样的风雨。我和小雅的衣服都被雨水淋湿了,浑身冰凉冰凉的。我俩只好把身体靠得紧紧的,相互依靠

着来到公共汽车站。

转了两次车,还走了一段很长的泥泞小道,才来到三河堡小食品批发市场。这里的生意已开张了,这么早来进货的大多是附近郊县的人,进了货还得乘长途车赶回去。我和小雅这么早来,是因为我们还有作业要做。

我是第一次来这里,走进蜘蛛网似的通道,通道两旁是一家挨一家的批发店,每家都是那样的大方孔,每一家都是那样的铝合金卷帘门,好像掉进了迷宫,有走不出去的感觉。小雅已经来过几次了,所以她熟门熟路,带着我在错综复杂的通道里穿行。

今天小雅要进的货是方便面和火腿肠,这两样东西在店里总是卖得最快。

市场里几乎每一个批发店都有方便面和火腿肠,而且价格很低,老板说还可以优惠,可小雅坚持要去那家她每次进货的批发店。

"为什么非要去那家批发店?"我不解地问,"你看这些老板多热情啊,说不定价钱比你要去的那家还低呢!"

小雅说:"现在这个地方的假冒商品很多,有的方便面是过期的,有的火腿肠是用瘟猪肉做的,我要去的那一家,他们的方便面和火腿肠是绝对的正宗货。"

到了那一家,老板说的价格果然比其他的批发店都高。

"能不能便宜一点?"小雅讨价还价。

老板坚决地摇头。

犹豫片刻后,小雅做出了决定:"好吧,我要!"装了满满三个大塑料袋。两个袋装的方便面，一个袋装的火腿肠。小雅提方便面，我提火腿肠。

雨还在淅淅沥沥地下，我和小雅手上都提着东西，伞是不能打了，索性把它收起来，反正我们的衣服都淋湿了。

回去乘公共汽车，比来的时候人多，好不容易挤了上去。我让小雅把两大袋方便面放在地上，小雅说怕被踩碎了，就像抱孩子似的抱在自己胸前。几次到站停车，小雅都差点儿跌倒。

车到展览馆站时，小雅遇见了她现在班上的同学和同学的妈妈。

"梅小雅，你到哪儿去？"

"我回家去。"

"哟，买的什么好东西呀？"同学的妈妈对小雅抱的两大袋方便面比对小雅更感兴趣。

小雅说："是方便面。"

"这么多方便面，吃得了吗？"同学的妈妈一惊一乍的。

"不是吃，是拿来卖。"

没想到小雅会回答得这样坦率。

同学的妈妈惋惜地摇摇头："哎哟哟，这么小就开始做买卖！"

"妈——"小雅的同学拉拉她妈妈的衣襟，小声说，"她妈妈和她爸爸离婚了。"

"哦，是单亲家庭的孩子。怪不得这么可怜！"

同学的妈妈大嗓门儿，让全车的人都听见了。人们把

同情的目光投向了小雅。

车又到站了，小雅抱着方便面下了车，我也只好跟着下了车。

"小雅，不是还有两站路吗？怎么……"

"真受不了那些人的眼光。"小雅说，"你知道我现在最怕什么吗？"

"你最怕什么？"

"我最怕别人的怜悯。"

我问小雅，她的那位同学是怎么知道她父母离婚的？原来在我们班上，虽然小雅的父母在她读一年级的时候就离婚了，但从来没有谁议论过这事，也没有人对小雅另眼相看。

"是我们老师在班上讲的。"小雅一脸的无奈，"说我是一个父母离异的孩子，让同学们都来关心我。"

我问小雅是不是很反感她的老师这样做？

"对，我很反感。"小雅说，"转到这所学校后，我的成绩在班上名列前茅，我自我感觉良好，可老师在班上这么一说，我却成了大家可怜和同情的对象了。"

我想，也许小雅的老师做梦也不会想到，她的善意会给小雅带来压力和令小雅产生反感。

"我真的很怀念罗老师，她教了我五年，从来没有因为我爸爸妈妈离婚了，就对我另眼看待，我也从来没感觉到我跟其他同学有什么不一样。"

本来我和小雅今天应该是很愉快的，天气虽然不好，我们却顺利地把货进回来了。可就因为公共汽车上那么一个小小的插曲,把我们这一天的心情都破坏了。

一个可以上天堂的人

好久没去看小雅了。

把家里的东西都搜查了一遍,需要买的东西是香油、洗洁精和卫生纸。向妈妈要了钱,我就向小雅家的小店走去。

小雅一边看店,一边做作业。看见我来了,小雅惊叫着向我扑过来,我们竟像好多年没有见面的老朋友那样拥抱起来。

我问小雅:"你妈妈呢？她现在好吗？"

小雅迟疑了一下,但还是回答了我。

"我妈妈到医院去看我爸爸了。"

"你爸爸？"我好像明白了,"你妈妈又结婚了？"

"是我的亲爸爸。"

我又不明白了:"你爸爸妈妈不是离婚了吗？"

"哎,说来话长。"

小雅说话的语气像个大人。我让小雅长话短说,原来是这样的:小雅的爸爸是个出租车司机,当初他抛弃了小雅妈妈和小雅,离婚后马上又结婚了,但他和后来的妻子经常吵架。前不久,他出了车祸,住进了医院,他后来的妻子从来没有去看过他,还向他提出了离婚。小雅的爸爸孤零零

地没人照顾,小雅的妈妈知道了,就天天炖了汤,跑去照顾他。

"难道你妈妈一点都不记恨你爸爸?"我问道。

小雅说:"我妈妈是一个十分善良的人,虽然我爸爸做出了伤害她的事,但是,我长这么大,还从来没有听她讲过我爸爸的坏话。"

"你去看过你爸爸吗?"

"没有。"小雅脸上的表情变得僵硬起来,"我妈妈能原谅他,我不能原谅他。这些年来,他对我从来没有付过一分钱的抚养费,他不知道我和妈妈吃了多少苦。"

我觉得小雅说得也有道理,换了我的爸爸是这样,我也不会原谅他。

小雅拿出一本上锁的日记本,那是我送她的生日礼物。她用钥匙打开了锁,从里面拿出一张照片给我看。这是小雅三岁时的全家照,那时他们还是幸福的一家,爸爸妈妈紧紧地挨在一起,小雅在他们的中间。小雅的妈妈那时候还是个美丽的少妇,跟现在病恹恹的样子判若两人。小雅的爸爸也很英俊,不知道现在躺在病床上,又是一副什么模样。

正看着照片,小雅的妈妈回来了。冬天天气冷,小雅妈妈的气喘病更加严重了。她手里提着一个保温桶,我想那是给小雅爸爸装汤用的。

小雅妈妈跟我聊了几句后,对小雅说:"小雅,你去看看你爸爸吧,他非常想你。"

小雅不吭声,脸上也没什么表情。

"小雅,做人宽容一点,不要老想着别人对不起你,这样想不开,只会越想越气,你说是不是,冬阳?"

我忙点头:"阿姨说得对极了。"

虽然小雅的妈妈没多少文化,但在我的心目中,我一直认为她是一个最高尚的人。我读过许多圣经故事,如果有的人真的可以上天堂的话,那么小雅妈妈就是一个可以上天堂的人。

学会宽容

我和梅小雅很久没有见面了,我们都太忙,比好多人都忙。趁劳动节放假,我决定要去看看梅小雅。

下午,我来到小雅家,正是小雅来开的门。我们俩有几个月没有见面了,见了面却一句话都没有,她打我一下,我打她一下;她又打我一下,我又打了她一下,然后我们俩抱在一起笑呀,笑呀……

"两个傻丫头,怎么光笑不说话?"

小雅妈妈好像变了一个人似的,白了,胖了,比以前年轻多了。见我来了,她显得特别高兴,一会儿拉我的小辫子,一会儿摸我的脸,还让小雅去买我最爱吃的奶油玉米花儿。

我忙说:"阿姨,别客气,你不要把我当小孩子,我喝点水就行了。"小雅妈妈对我眨眨眼睛,非让小雅去买不可。

"冬阳,你看我妈妈多爱你呀!"小雅酸溜溜地说,"倒像你是她亲生的女儿,我是捡来的。"

"耍贫嘴,快去!"

听着小雅的脚步声渐渐远去,小雅妈妈这才把我拉到她身边坐下。

"冬阳,我一直盼着你来,你怎么就老不来呢?"

"阿姨,有什么事吗?"我问道。

"是这样的,冬阳。"小雅妈妈有些难为情的样子,"我和小雅的爸爸复婚了。她爸爸现在回到家里来,他说我身体不好,让我在家里休息,他在外面开出租车挣钱养家,也够辛苦的。总之,我们家现在是过上了好日子,就只有一件事不能让我称心。小雅到现在还不肯原谅她爸爸,对她爸爸爱理不理的。唉,这丫头太固执了,我知道你跟小雅是最要好的,求你帮我劝劝小雅。"

小雅妈妈在对我说这番话时,完全没有把我当孩子,而是把我当做一个能帮助她的人,一个她所需要的人。她的这种真诚,令我深受感动,我在心里向她保证,我一定要说服小雅原谅她爸爸。

小雅回来了,买了奶油玉米花儿,还买了一筒品客原味薯片,这些都是我爱吃的。

我们把这些零食拿进小雅的房间,关上房门。女孩子说悄悄话,总是要关上房门的。

没有时间容我转弯抹角,我直奔主题。

"小雅,我要你答应我一件事。"

小雅想都没想便回答道:"说吧,我一定答应你。"

"说话算数,我俩来拉勾。"

我伸出一个小指头,小雅也伸出一个小指头,我便拉了三下。

"什么事?"

"我要你原谅你爸爸。"

"除了这件事,我什么事都答应你。"小雅摔开我的手,"我五岁时,他就狠心地离开了我们,这几年我妈妈为我受了多少苦,你是知道的。"

"可是你妈妈已经原谅了他,她有一颗宽容的心,她是一个好人,好人有好报,所以你妈妈现在过上了幸福的生活。"

小雅十分惊诧地看着我,她越这样,我越要拿一些话来镇住她。我努力地在记忆里搜索着有关宽容的格言警句,

只记起一则来:"假如生活很美好,你就应该感谢;在你的生活中,感谢和原谅是最好的形式。"

"冬阳,你今天说话怎么怪怪的? 语无伦次。"

我说:"好啦好啦,我也不对你讲大道理了,你就答应我原谅你爸爸吧!"

小雅不吭声了,掉过头去看窗外。

我把小雅的头扳过来,对着我:"听说过这句话吗?'苦难是人生的财富',你经历的苦难比我们都多,所以你比我们都富有。就凭这一点,你也应该原谅你爸爸。"

"冬阳,你在强词夺理!"

硬的不行,我只好来软的了。我摇晃着小雅的一只胳膊:"小雅答应我吧,我已经答应了你妈妈。"

小雅直直地看着我,看着看着,"噗"的一声笑了。

"好吧,我答应你,谁叫我们是顶好顶好的好朋友呢!"

大功告成,我要告辞回家了。

说好小雅把我送到街口。到了街口,小雅又说再送一段路,我们手牵手,心里难舍难分。在毕业考试之前,我们是不可能再见面了。我们相约,在考试后再见!

非常女生
FEICHANG NÜSHENG

之

八卦女生

罗莉娜

非常档案

八卦女生

特长：爱探听小道消息，喜欢传播八卦新闻

八卦的日常表现：喜欢制造效果，故弄玄虚；
　　　她一出现，准有爆炸性新闻

最后悔的行为：偷看了同学的日记，并担心因
　　　此眼睫毛向内长

最厉害的绝招：能够把人家不想说的话，从人
　　　家心里套出来

最犀利的发现：敏感地意识到神秘的风衣男子
　　　是戴安的爸爸

八卦指数：☆☆☆☆☆

绝密消息

"夏雪儿,过来!"

罗莉娜在悄悄地向我招手。看她那神神秘秘的表情,我就知道她一定又有"绝密消息"要告诉我了。

我朝罗莉娜走去。

罗莉娜十分警惕地看了看周围,周围没有人。

罗莉娜这才把她的嘴贴在我的耳朵上,说:"告诉你一个消息。"

罗莉娜嘴里呼出的热气,弄得我的耳朵痒痒的,像有许多小虫子在爬。

"什么消息?"

罗莉娜的嘴又贴在我的耳朵上:"一个绝密消息。"

我有点不耐烦了:"说吧,我听着呢!"

罗莉娜不说,她要我发誓,保证不告诉第二个人。

我说:"我发誓!"

罗莉娜还是不说,她一定要我举起右手发誓。

这么麻烦! 我已经没有耐心听她的绝密消息了。

"你不想听?"罗莉娜倒着急起来,"你真的不想听?"

我不忍心扫她的兴,只好举起右手来发誓。

看见我如此这般地发了誓,罗莉娜的嘴又贴上了我的

耳朵。

"欧亚菲的妈妈不是她的亲妈妈,是她的后妈。"

"不会吧?"

在我的想象里,后妈都是凶凶的、张牙舞爪的样子,欧亚菲的妈妈又漂亮又和气,怎么可能是后妈呢?

"你不相信?"罗莉娜一急,声音也提高了,"这是我姨妈的同学讲的。"

我不明白怎么又扯上了她姨妈的同学。

罗莉娜十分认真地给我解释道:"欧亚菲现在的妈妈跟我姨妈的同学是一个单位的,我姨妈的同学告诉了我姨妈,我姨妈告诉了我。"

"哦,是这样。"

罗莉娜突然地严肃起来,郑重其事地对我说:"夏雪儿,这个绝密消息我可是只告诉了你一个人,你千万千万要保密哦!"

经罗莉娜这么一说,事情似乎严重起来。突然间,我也严肃起来,郑重其事地对罗莉娜说:"罗莉娜,我夏雪儿还是比较守信用的人,请你一定相信我,我决不会把这个绝密消息告诉别人的。"

"当然,我相信你。"

罗莉娜说话时,好像并不那么肯定,有些怀疑。

现在,轮到我着急了。

"罗莉娜,我真的不会去告诉别人。"

罗莉娜不说话,我想她现在后悔了,后悔把这个绝密消息告诉了我。其实，我心里更后悔，后悔我当时为什么不捂起耳朵，不听这个绝密消息呢？

第二天做课间操，刚一解散，我就看见罗莉娜的嘴贴在艾薇的耳朵上，随后看见艾薇惊愕的表情……

她在说什么？

下午上学路上，我又看见罗莉娜的嘴贴在萧依依的耳朵上……

她又在说什么？

才不过几天，几乎全班女生都知道了"欧亚菲现在的妈妈不是她的亲妈而是她的后妈"这个"绝密消息"。

日记被谁偷看的

今天，我发现很多人看我的眼神都怪怪的。萧依依看我，怪怪的；欧亚菲看我，也怪怪的；肥猫看我，更是怪怪的。

"讨厌！"

我白了肥猫一眼。

"我是讨厌。"肥猫阴阳怪气，"我是谁呀？我是鲁云飞，一只大肥猫，我当然讨厌。我知道，有一个人你不讨厌。"

"说话这么酸，酸猫！"我问他，"你说哪一个人我不讨厌？"

"就是他！"

肥猫的胖指头弯曲着指着一个地方，我的目光也必须弯曲着，顺着肥猫的胖指头看过去，他指着的是坐在后面斜

对着我们的潘少雄。

"潘少雄是个很特别的男生,不知道他为什么知道那么多的东西,就像一本百科全书……"

肥猫像背书一样,用假嗓子背出上面的话!

天哪,这是我写在日记里的话。

毫无疑问,我的日记被偷看了。

毫无疑问,这个偷看我日记的人就是肥猫,因为他是我的同桌,他最有机会也最有可能偷看。

"偷看别人的日记,你不觉得脸红吗?"

"我不脸红,因为我没有偷看你的日记。"

我盯着肥猫的脸看,足足有三分钟,他的脸真的没红,看来日记确实不是他偷看的。

本来,日记本是应该放在家里的。可是,放在家里怕爸爸妈妈偷看,我就放在书包里带到学校里来。可是,带到学校里来,还是被人偷看了。

我回忆起来,昨天中午,为了减轻书包的重量,我把日记本和几本书放在课桌里,没有带回家。

那么,是谁偷看了我的日记呢?

我想我有办法弄清楚,是谁偷看了我的日记。

我在日记本上这样写道:

"我知道我的日记被人偷看了,虽然我很伤心,但我更为那个偷看我日记的人担心,因为有一本书上曾写道:偷看别人的日记的人,眼睫毛会往眼睛里长,除非这个人向日记的主人承认自己偷看了日记,得到了日记的主人的原谅,这个人的眼睫毛才会停止往眼睛里长。"

像昨天中午那样,我把日记本同几本书放在课桌里。

下午课间,罗莉娜走过来向我借橡皮擦。她看着我使劲地眨眼睛,像有什么话说。但又什么都没说。

过了一会儿,罗莉娜走过来还我橡皮擦。她看着我使劲地眨眼睛,像有什么话说,但又什么都没说。

我有点明白了。

体育课自由活动的时候,我看见罗莉娜拿着小镜子不停地照,还不停地揉眼睛。

"罗莉娜,你眼睛怎么啦?"

我走过去问道。

"夏雪儿,"罗莉娜一把拉住我,"你真的在一本书上读过……"

我明知故问:"读过什么?"

罗莉娜警惕地前看、后看、左看、右看,然后小声问道:"偷看了别人的日记,眼睫毛真的会往眼睛里长吗?"

"啊,你……"

我故作惊讶地看着罗莉娜。

"是我偷看了你的日记。"

"哦,是这样。"我好容易才忍住没有笑出来,"你已经向我承认了,眼睫毛就不会再往眼睛里长了。"

罗莉娜揉揉眼睛,眨巴眨巴,高兴起来:"真的,现在我的眼睛不那么痒痒了。"

新闻主播罗莉娜

这种害羞的感觉,在戴安身上还是第一次发生。她放开兔巴哥,去更衣室换了衣服,仍旧是那件宽松的黑色T恤,仍旧是那条肥大的、有许多袋子和拉链的牛仔裤,胡乱地用毛巾擦了擦剪成男式的短发,从更衣室里出来的戴安,又成了假小子戴安。

几个坏小子看戴安的目光还有些躲躲闪闪,飘忽不定,表情也是怪怪的,戴安的表情也有些不自然。幸好这时,班上的新闻主播罗莉娜来了。

她一来,准有爆炸性的新闻。

"最新消息!"罗莉娜在池子边一张白色的圆桌旁边坐

下来，"你们是不是不想听啊？"

罗莉娜就是这臭德行。每次她都要制造效果，故弄玄虚，但似乎没有今天这么牛气。不过，她再怎么牛，他们都已经毕业了，今后也不再是同学，再新的消息对他们也没多大的吸引力。

"这个消息是关于米老师的，你们再不过来，我就走了！"

罗莉娜真的要走。米老鼠赶紧跑过去，低声下气地给她说尽了好话，罗莉娜总算留了下来。

米兰曾经做过他们的老师，是肥猫他们几个从肯德基店里找来的一个女大学生，那时候他们读六年级，还有一年就小学毕业了，米兰就教了他们一年，把他们教毕业，便离开了学校。

她的梦想是做电视台的主持人，不知道她现在是不是梦想成真？

听说了有米兰的消息，那几个披着浴巾的女生都跑过来，团团围住了罗莉娜，催她快讲。

"米兰还真的做了主持人，不过不是电视台的主持人，是电台的主持人。你们知道什么是电台的主持人吗？就是只听得见声音，看不见人。"

罗莉娜的话说多了，就有一半是废话。比如刚才关于"什么是电台的主持人"的话，就属废话。

夏雪儿问："你怎么知道的？"

"昨天晚上，我妈妈带我去教育局，去打听我读中学的消息，坐在出租车上，我亲耳听见的。"

现在除了在车上,人们是很少听广播的。

"你怎么肯定就是米兰?"

"我听出来的。天天听她上课,她的声音我还听不出来?"

"那也不见得。"戴安总喜欢和罗莉娜抬杠,"米兰的嗓音是经过训练的,很多主持人的嗓音跟她都很像。"

"我敢肯定她就是米兰。"罗莉娜说,"我听的那个节目好像是一个谈心节目,好像是谈老师在处理学生的事情上,如果做错了,该不该向学生认错。主持人说她曾经当过一年的老师,曾经也错怪过学生,接着她讲了那次'死鱼事件',错怪了肥猫,最后给肥猫道歉的事情。"

"是她,肯定是她!"肥猫一把抓住罗莉娜的胳膊,"快告诉我,她在哪里?"

"该死的肥猫,你放开我!"

肥猫放开罗莉娜,罗莉娜的胳膊上被肥猫捏出几道红印,肥猫赶紧向那里吹气。

豆芽儿、米老鼠急于想知道米兰在哪里,也做出巴结的样子,给罗莉娜的胳膊吹气。

罗莉娜一边享受着几张嘴吹出来的气,吹在胳膊上痒酥酥的,一边说道:"在广播里只听得声音,看不见人,我怎么知道米兰在哪里?"

肥猫他们立即停止吹气,对罗莉娜怒目而视,大有上当受骗的感觉。

一条爆炸性新闻

"我还有一个消息,这可是一个官方消息。不过,我知道你们不会对这个消息感兴趣的。"

罗莉娜用的是反激法。她知道她跟前的这几个男生都是身上长反骨,你说东,他偏向西。果然,他们又眼巴巴望着她了。

罗莉娜非常满意她制造的这个效果,"吭吭"地清了清嗓子,这才开始说道:"有一个从国外来的人,要投资把白果林小学改制成股份制学校。"

"这跟我们有什么关系?"戴安又跟罗莉娜抬上杠了,"我们已经从白果林小学毕业了,马上要进中学了。"

"关系大着呢!"罗莉娜接的是戴安的话头,眼睛却不看戴安,"改制后的白果林小学不再是一所小学,要建成一座有十二个年级的学校,我们可以留在这里读七年级。"

戴安对这个消息还是持怀疑态度:"这么大一件事情,我们怎么一点都不知道呢?"

"你们都知道了,还能叫绝密消息吗?"罗莉娜神秘地压低了声音,"这个消息是教育局的局长亲口告诉我妈妈的,不信你们看,过几天学校就会把我们毕业班的家长召回去开会。"

肥猫他们几个以为真的又可以在一起了,所以都喜形

于色。自从毕业考试过去后,他们的心情一直很郁闷。已经小学毕业了,米兰不再教他们已成定局,大家心里已经不是滋味儿,从一年级就是好哥们儿,好了六年,眼看就要散了,真是雪上加霜。

今天罗莉娜给他们带来的这个消息,无疑使他们有一种拨开乌云见太阳的感觉。

相比这几个男生,女生们的反应要复杂得多。

艾薇还在毕业考试之前,就考上了全市最好的重点中学;小魔女秦天月家里有的是钱,准备去读全市收费最高的寄宿学校;夏雪儿的作文多次获大奖,有一个年年出文科状元的重点中学准备录取她;戴安也因为是体育特长生,几个重点中学都争着要她。

豆芽儿举起一罐可乐,有些酸酸的:"来,为我们分道扬镳,干杯!"

戴安一把挡开豆芽儿高高举起的可乐:"豆芽儿,你什么意思呀?"

"没什么意思,你们几个呢,马上就要去读重点中学了,我们几个呢,还读白果林学校的七年级,到时候,我们再把米兰找回来教我们。"

戴安马上说:"如果米兰还能回来教我们,我肯定不走。"

夏雪儿、艾薇和小魔女她们也跟戴安一样,只要米兰能回来教她们,都可以放弃重点中学,留在白果林学校读七年级。

到哪里去找米兰呢?

秘密调查

从李小俊那里，从艾薇那里，罗莉娜都没调查出那个跟戴安在一起的、穿黑色长风衣的男人到底是谁。罗莉娜是个不达目的誓不罢休的人，她不知从哪儿又挖来一条信息，班上那几个坏小子、肥猫、兔巴哥、米老鼠和豆芽儿，都认识那个神秘的男人，这个神秘的男人还请他们吃过西餐呢。

这几个坏小子一天到晚形影不离，除了戴安，他们几乎不把女生放在眼里。对于罗莉娜，他们只是想从她那儿听一些最新消息，如果没有最新消息，他们三言两语就把她打发了。

这几个坏小子都是戴安的铁哥们儿，他们完全有可能齐心协力为戴安保守秘密。只有采取个别行动，也许能问出点什么来。

罗莉娜把他们四人，逐一地分析了一番：兔巴哥最老实，但也许他知道得最少，甚至迷迷糊糊地什么都不知道；肥猫知道得最多，但他嘴巴紧，守得住秘密，不过，嘴紧抵不住嘴馋，给他点吃的，不信撬不开他的嘴；豆芽儿倒是口无遮拦，话多得滔滔不绝，但也许没一句是有用的；米老鼠亦幻亦真，真话假话都说，到最后，

真真假假,他自己都分不清哪句是真,哪句是假。

罗莉娜走火入魔,伺机行事。

一天,午餐吃炸鸡翅,一人两只,豆芽儿刚好坐在她的身边,她以迅雷不及掩耳之势,将一只鸡翅夹到豆芽儿的盘子里,把豆芽儿吓了一大跳。

豆芽儿左右环顾,见并没有人注意到他,用手抓起那只鸡翅,心安理得地撕咬起来。一边吃,还一边发出感慨。

"哎,到了青春期,就喜欢吃高脂肪高蛋白的东西。"

罗莉娜没听明白:"什么青春期?"

"你没有发现我已进入了青春期吗?"

豆芽儿伸了伸脖子,扭了扭肩膀。罗莉娜见他唇上无毛、喉上没包,还是原来那样瘦瘦小小一把把,一副铁树不开花的样子,哪里像在青春期。但目前罗莉娜有求于豆芽儿,所以拣他爱听的说:"我一看你,就知道你到了青春期。"

豆芽儿向罗莉娜竖起油亮的大拇指:"好眼力!"

罗莉娜开始奔向主题了:"豆芽儿,你喜欢吃中餐,还是喜欢吃西餐?"

豆芽儿十分内行地:"中餐是中吃不中看。西餐是中看不中吃,刀子叉子勺子一大把,结果对付的东西就只有那么一点点。"

"你们上次在溜冰场外面的西餐厅吃西餐,那个请你们吃西餐的人,是谁?"

"好像是溜冰场的教练吧!"豆芽儿挠着后脑勺,拼命地回忆,"伯乐能识千里马,这是一个像伯乐一样的人,他在冰场上突然发现了戴安,他觉得戴安的条件特别好,完全可以培养成世界花样滑冰的冠军,所以他一心想当戴安的教练。为了赢得戴安的好感,他请戴安吃西餐,我们几个是沾了戴安的光……"

豆芽儿说得有鼻子有眼儿,但罗莉娜根本不相信。

"不信你去问米老鼠。"

豆芽儿想摆脱罗莉娜,把米老鼠骗到罗莉娜跟前来,他就开溜了。

罗莉娜后悔刚才把油炸鸡翅给了豆芽儿。她向米老鼠许诺,如果下一次再吃油炸鸡翅或油炸鸡腿,她一定给他一只。但是有一个条件:"你必须告诉我,那次在溜冰场旁边那家西餐厅里,请你们吃西餐的人,是什么人?"

　　罗莉娜的好奇心，刺激了米老鼠的想象力。他很快进入角色，在罗莉娜的耳边压低了声音："这是一个来路不明的人。"

　　罗莉娜果然有了反应："你怎么知道的？快说！快说！"

　　"这个人来无踪，去无影。你不知道他从什么地方来，不知道他的家在哪里，他是干什么的。我怀疑他根本就是一个外星人。"

　　"外星人，会请你们吃西餐？"

　　"你以为外星人是什么人？跟我们还不是一样的人，只不过他住在外星球上，作了一次星际旅游，就跑到地球上来了。"说到这里，米老鼠已经坚定不移地相信自己说的话了。

　　米老鼠已无可救药，罗莉娜跟他再绕下去，无疑是浪费时间。她还有希望，希望寄托在肥猫和兔巴哥的身上。

别人的隐私

　　和肥猫相比，兔巴哥要好对付得多。罗莉娜只要打着艾薇的旗号，不信把兔巴哥的话套不出来。

　　但是，兔巴哥完全记不起暑假里的事情了。

　　"你再想想，当时有肥猫、豆芽儿、米老鼠，还有李小俊、戴安……"

　　兔巴哥本来还想回忆回忆，听罗莉娜一口气说出这么多人来，便如释重负，懒得再回忆："那你去问他们好啦。"

兔巴哥是一个多一事不如少一事的人。

罗莉娜在心里叫苦，如果我能从他们嘴里问出来，我还用得着问你？

罗莉娜耐住性子启发兔巴哥："那天，你们吃的是西餐，你知道那个请你们吃西餐的人是谁吗？"

兔巴哥根本就记不得他曾在暑假里吃过西餐。他和肥猫不一样，肥猫对吃情有独钟，对自己吃过的每一样东西都会念念不忘。但是吃对于兔巴哥，就是填饱肚子，很少留下什么难忘的印象。

兔巴哥一口否定他去吃过西餐，他不是和罗莉娜玩太极，他是真的记不得了。既然吃西餐都记不得了，难道你还能指望他记起那个请他们吃西餐的人？

对这种迷迷糊糊的人，你跟他生气都没用。

罗莉娜百折不挠，越战越勇。她知道肥猫是最难缠的，不用"糖衣炮弹"，休想从他口中套出半个字。

罗莉娜去超市，买了一堆乱七八糟的零食。下午放学的时候，向肥猫勾勾手指头，肥猫会意，便乖乖地跟她走了。

肥猫早就知道罗莉娜会找他，也知道罗莉娜想问什么，但他故意装傻，嘴里稀里哗啦地吃着罗莉娜给他买的零食，就是不开口说话。

"肥猫，我的东西可不是白请你吃的。"

"我知道。"

肥猫嘴里稀里哗啦，越吃越快。

"肥猫，你知道我想问什么？"

肥猫看着罗莉娜:"我又不是你肚子里的蛔虫,我怎么知道你要问什么。"罗莉娜已经跟他们几个周旋得很累,她单刀直入:"那个男的是谁?"

"哪个男的?"

"你知道的。"

肥猫知道罗莉娜指的是安先生。

肥猫问罗莉娜:"这个男的跟你有关系?"

"跟我没有关系,但他跟戴安有关系。"肥猫已经吃完了罗莉娜给他买的零食。对付罗莉娜的"糖衣炮弹",肥猫的对策是:把"糖衣"吃了,再把"炮弹"给她扔回去。肥猫用手背抹抹嘴巴,然后语重心长地:"罗莉娜,看在我吃了你的东西的份儿上,我真得给你好好地上一课。"

"上课?"罗莉娜嘴一撇,"你给我上什么课?"肥猫把两只手背在身后,他经常被人教训,现在轮到他来教训罗莉娜了。

"我告诉你,就算那个人跟戴安有什么关系,这也是人家的隐私。罗莉娜,你这个人最大的毛病,就是不知道尊重别人的隐私。"

"别在我面前充大尾巴狼!"罗莉娜根本不吃肥猫那一套。她已经从肥猫的话中,听出了肥猫默认了那个神秘的人和戴安有关系。她两眼闪闪放光,终于说出了她心中一直想说的话:"那个人肯定是戴安的爸爸!"

非常女生
FEICHANG NÜSHENG

之

胆小女生

欧亚菲

非常档案

胆小女生

性格：敏感，胆小，是典型的纤弱型女孩

最醒目的特点：非常害怕打针，一看见打针就
　　　脸涨得通红，喊着要大便；从一年级到五
　　　年级，每次都这样

胆小指数：☆☆☆☆☆

怕打针的欧亚菲

欧亚菲怕打针。记得从一年级起，每年学校打预防针，她都怕得要命。她还有个习惯，心里一怕，就想大便，就要不停地跑卫生间，这跟萧依依心里一紧张，就要不停地打嗝一样。我清楚地记得在一年级时第一次打预防针的情形。

那天正上语文课，那时我们还在学汉语拼音，全班跟着老师大声地拼读"b—a—ba""b—a—ba"。教室门"砰"的一声被撞开了，是被一辆上面摆满了大大小小玻璃瓶子的小推车撞开的，后面跟着几个戴白帽、戴大口罩、穿白大褂的人，她们没说一句话，直接把小推车推到讲桌旁边。紧接着，动作十分麻利地从盘子中取出注射器，上针头，插入药瓶抽药水。

"哇"的一声，当即便有几个女生吓哭了。

欧亚菲没有哭，却满脸涨得通红，嘴里还发出"嗯嗯"的声音。

老师问："欧亚菲，你怎么了？"

"我要大便！"

欧亚菲跑出教室。

穿白大褂的人举着注射器，那又长又尖的针头闪着寒光。

很少笑的严老师这时居然笑了,而且笑得有些温柔,话也说得有些温柔。她举着一朵小红花:"谁第一个上来打针,我就把这朵小红花奖给这个勇敢的孩子。"

那时的一朵小红花,对一年级的小孩子来说,是至高无上的光荣,只有学习好、表现好的孩子才能得到小红花。肥猫从来没有得过小红花,所以他第一个上去打针。严老师带头鼓掌,同学们也跟着鼓掌。可是针刚插到肥猫的胳膊上,肥猫就哭了。肥猫最终没有得到小红花,因为他哭了,不能算是一个勇敢的孩子。

严老师又规定,只要打针不哭,都能得到一朵小红花。结果很多孩子都拥到讲台上,挽起衣袖,把头扭到一边,鼓起眼睛不哭,结果很多孩子都得到了一朵小红花。肥猫后悔死了,如果他不第一个上去,他也会把头扭到一边,鼓起眼睛不哭,他也会得到一朵小红花的。

一个一个都打过了,穿白大褂的人在收拾器械,正要推着小车离去,米老鼠大叫一声:"欧亚菲还没有打!"

于是,大家都想起欧亚菲还在卫生间里大便。

因为我的座位在欧亚菲后面,严老师正好看到我,就叫我去卫生间把欧亚菲找回来打针。

我跑到卫生间,见欧亚菲还蹲在那里。

"欧亚菲,你完了没有?"我急急地问。

欧亚菲倒一点不急:"什么完了没有?"

"你大便解完没有?"

"我还没解出来呢!"

"不解了,不解了。"我把我得的小红花拿给欧亚菲看,
"快去打针,只要不哭,就可以得到一朵小红花。"

欧亚菲也想得到一朵小红花。她忙提起裤子跟我走。
我教她:"打针的时候,你把头扭到一边,不要看针头,鼓起
眼睛,心里念着小红花、小红花,这样你就不会哭了。"

欧亚菲直点头,还捏了一下我的手,感谢我教她的这一
招。

欧亚菲回
到教室,穿白
大褂的人都在
等她,全班同
学都在看着她。

欧亚菲照
我教她的那样,
把头扭到一边,
鼓起眼睛。可
是,当穿白大
褂的人正要把
针向她的胳膊
打去的时候,
欧亚菲突然尖
叫一声:"我要大便!"

学校每年都要打预防针。后来,严老师不再给打针不
哭的孩子发小红花了,因为已没有谁打针哭。只有欧亚菲

还那样,一打针就要大便。

今天上英语课,教室门又"砰"的一声被撞开了——又该打预防针了。

五年级的男生已知道在女生面前逞男子汉了,所以不用谁叫,他们都挽着衣袖,亮出胳膊,争先恐后地朝那小推车拥去。

米老鼠第一个打,打完后他故意走到欧亚菲的座位前,夸张地叫道:"疼死我了! 疼死我了!"

豆芽儿装得更像了,他摇摇摆摆地晃到欧亚菲面前,痛苦万状地呻吟道:"哎哟——哎哟喂——"

我看见欧亚菲的脸已涨得通红,我知道她又想大便了。

"欧亚菲,他们故意吓你的,别理他们,你不要怕!"

"我不怕,我不怕。"

欧亚菲嘴里反复说道"我不怕",跟着我走向那小推车。

欧亚菲挽起衣袖,穿白大褂的人刚在她胳膊上消完毒,欧亚菲盯住那寒光闪闪的针,突然尖叫一声:

"我要大便!"

教英语的欧阳老师是这学期才来教我们的,她不知道欧亚菲的老毛病,所以听到这一声尖叫,赶紧把欧亚菲往教室外推:"快去卫生间! 快去卫生间!"

"轰"的一声,教室里爆发出来的笑声能把屋顶掀起来。而米老鼠和豆芽儿那两个"罪魁祸首",早已笑倒在地上了。

献花的女孩

这学期的开学典礼上,校长隆重地宣布:联合国教科文组织的一个叫玛丽的女士,要在下一个月的下一个月到我们学校来参观访问,而且还特别强调,电视要转播的。

虽然玛丽女士访问的时间是在下一个月的下一个月,但校长已开始在全校各班挑选给玛丽女士献花的女孩了。挑选的程序是这样的:每班先选一个美女出来,再在这些美女中选出一个最美的美女出来,这就是幸运的献花女孩。

要说我们班长得最漂亮的女生,肯定应该是艾薇。但不知为什么,严老师偏偏选了头发少、脑门儿大的萧依依。全班一片哗然。肥猫在下面说:"把个黄毛丫头选去献花,人家外国人会不会说,怎么中国孩子的头发这么少呀?"

坐在我和肥猫前面的豆芽儿转过身来,嘻起两颗大门牙,添油加醋地说:

"头发少是营养不良,这不是给咱中国孩子丢脸吗?"

我说:"应该选肥猫去。"

"选我?"肥猫以为他的耳朵出了问题,指着自己的圆鼻子问,"你有没有搞错呀?"

"选你去不会给咱中国孩子丢脸呀。瞧你这一身的肥肉,营养多好啊!"

过了几天,各班选出来的美女在音乐厅集中。

嘿,音乐厅简直成了一座百花争艳的花园,校长、教导主任、形体老师站在这些花朵一般的女孩中,挑来挑去,挑来挑去,把眼睛都挑花了,不知该挑谁好。

"我看……我看……"校长的手指在空中画了一圈,突然,他眼睛一亮——萧依依又光又大的脑门儿把他的眼睛照亮了。

校长的手指向萧依依一点:"就是她!"

"谁?"

教导主任和形体老师都偏了脑袋,顺着校长的手指看去,原来是萧依依。她们不约而同地轻轻地摇了摇头。实话实说,萧依依在这么多美丽的女孩中,实在算不上最出色的。

"你们看她的额头长得多好啊!"校长压低了声音对教导主任和形体老师说,"给外国人献花,外国人是要亲额头的。你们看看那些女孩子,额头都被刘海儿遮住了,人家外国人怎么亲呀?"

教导主任和形体老师不约而同地点点头。校长就是校长,眼光跟一般人就是不同。

紧接着,全校师生都知道给玛丽女士献花的女孩是五·三班的萧依依。严老师很少有激动的时候,这次也激动了一回。她说,萧依依被选为献花女孩,不仅仅是她个人的光荣,也是我们五·三班每一个人的光荣。她要求我们全班总动员,同心协力,帮助萧依依来完成好这个光荣的任务。

紧张的训练开始了。每天下午放学后,萧依依都要到音乐厅去接受形体训练。抬头,挺胸,一路小跑……因为献花是要跑着去的,但不是大步跑,只能小步跑。一个多月练下来,萧依依几乎连路都不会走了,只会一路小跑。老师叫她把本子交到讲台上去,她也是抬着下巴、身子向前倾着、一路小跑上讲台。

手上拿的本子也像捧着的一束鲜花,就像跑上去给老师献花似的。

在这些日子里,萧依依全家也忙得不得了。她妈妈早已在全市最著名的婚纱店为她订做了一套粉红色的纱裙,那是准备在献花那一天穿的;她的爸爸已经打了一百多个电话,通知了他们家所有的亲朋好友,要他们那一天晚上,一定守在电视机旁,看萧依依献花的镜头。

离献花的日子越近,萧依依越紧张。

萧依依有个毛病,一紧张她就要打嗝。结果,头天晚上她就开始打嗝,全家人急得围着她团团转。

她妈妈按民间方子,把两根筷子十字交叉架在水杯上,一口气让她喝七口水,又给她掐背脊骨上的一个穴位,可是一点儿不见效,萧依依还是整整一个晚上,都在打嗝。

第二天早上,穿着粉红纱裙、打扮得无比漂亮的萧依依到了学校,打嗝打得更厉害了,平均一分钟要打六七个,而且打嗝的声音比在家里更响亮。

校长急得头顶冒汗,因为秃顶的人汗都出在头顶上,一块手帕都快湿透了。

校长耐心地俯下身子,跟萧依依脸对脸,用最温柔的语

气说道:"萧依依,你能不能忍着点不打嗝?"

萧依依还没来得及回答,一个脆生生的嗝便对着校长冲口而出。

校长只得轻轻地叹口气,在形体老师耳边说:"把原来各班选出来的女孩子再叫几个来。"

过了一会儿,校长已经等得不耐烦了,形体老师才带了几个女孩来。

跑在最前面的是一个缺了一颗牙齿的一年级小女生,她长得胖乎乎的,两个小脸蛋又红又圆,她拉着校长的衣袖,就像在跟她爸爸撒娇:"校长,我要去献花!"

眼看着玛丽女士马上就要到了,校长已没时间选择,连声说道:"好好好,快去换衣服吧!"

"校长,她……"

教导主任想说,这小女孩梳着童花头,脑门儿都被厚厚的刘海儿盖住了,玛丽女士如果要亲她的额头怎么办?可一看校长已经走了,就赶紧拉着小女孩换衣服去了。

萧依依的粉红纱裙穿在小女生身上,成了拖地长裙。形体老师告诉小女生,跑的时候一定要用一只手把裙子提起来,这样才不会被绊倒。

上午九点,玛丽女士乘着一辆蓝色轿车准时到达学校。当满头银发、身材高大的玛丽女士从轿车里出来时,献花的小女生飞快地向玛丽女士跑去。她没有抬下巴,身子也没有向前倾,也没有一路小跑,而是一手抱着鲜花,一手提着裙子,埋头飞跑。

　　玛丽女士一看见这个几分拙稚、但十分可爱的女孩儿，涂得红红的嘴唇立刻惊喜成一个圆圆的 O。当小女生跑到玛丽女士的身边时，长裙子绊了她一下，玛丽女士张开双臂迎上去，小女生倒在她的怀里。

　　小女生仰起脸儿，咧开缺了两颗门牙的嘴巴甜甜地笑了，玛丽女士在右边的脸蛋儿上亲了一下，又在她的左边的脸蛋儿上亲了一下。

　　这一切就是这么突然和自然。

　　奇怪的是，一直在打嗝的萧依依，看到这样的情景后，就再也没有打嗝了。

书包里的怪东西

在我们五·三班,从一年级到五年级,得表扬最多的是萧依依,挨批评最多的是豆芽儿。

你说豆芽儿心里能平衡吗?所以从一年级到五年级,豆芽儿最讨厌的人是萧依依。更可气的是,老师为了让萧依依帮助豆芽儿,就一直让他俩同桌。

严老师一批评豆芽儿,就用萧依依来压他:"你瞧瞧人家萧依依,优点那么多,你呢?缺点那么多。你哪怕学人家一点点,也不至于像你今天这个样子。"

"萧依依,萧依依,萧依依有什么了不起?凭什么她天天受表扬,我天天挨批评?萧依依不是没挨过批评吗?我也要让她尝尝挨批评的滋味。"一个"复仇计划"在豆芽儿的心中产生了。

记得那天上作文课,题目是《我的同桌》。豆芽儿一反常态,这天他上课特别认真,手没有乱动,脚也没有乱动,把嘴巴也管得挺好,两只眼睛滴溜溜地跟着严老师转。只是在严老师转身写黑板的时候,他会斜起眼睛,偷偷地瞧瞧萧依依。

萧依依开始有动静了。她的手伸进书包里,想拿文具盒,结果摸到了一个软乎乎、温温热、还会动的东西,隐隐约约还听见了"吱吱吱"的声音。

萧依依吓得手一缩,课桌盖"砰"的响了一下,引起了严老师的注意。

"萧依依,请你来说说,写这篇作文,你准备从哪几个方面来选材?"

萧依依木木地站起来,眼睛里充满了惊恐。她根本不知道严老师在说什么,她的满脑子里都是那个软乎乎、温温热、还会动的东西。

严老师又问了一遍,萧依依不知所措地看着严老师,她现在无法回答严老师的任何问题。

"坐下！"

严老师生气了，她对萧依依的态度从来没有这么生硬过。萧依依从来都是她最得意的学生，她今天的表现太令人失望了。

萧依依坐下后，强迫自己集中注意力来听课。可是，书包里的那个怪东西在她的脑子里赶都赶不走。

当严老师转身去板书的时候，萧依依的手又伸进了书包里。她感觉到那怪东西在书包里乱窜，吓得她一跳，课桌和椅子又发出一声巨响。

严老师"呼"地转过身来，不说一句话，但有两道怒火从她眼睛里喷射出来。

全班同学的目光都集中在萧依依身上。

"萧依依，你太不像话了！"严老师声音低下去，而且一字一顿，这说明她的愤怒已经到了极点，"你以为你当上了校优干就可以骄傲了？自满了？我现在就宣布，取消你校优干的资格。"

"校优干"是学校优秀班干部的简称。

好了，豆芽儿这会儿称心了，如意了，扬眉吐气了。

几天后，豆芽儿闯了一个祸，却是萧依依帮他收拾的残局。

那天下午上学，豆芽儿一路疯跑，把一个老太太手中提着的菜篮撞翻了，里面的菜呀、肉呀撒了一地，几条鲜活的鲫鱼在地上蹦跳着。

老太太惊魂未定："跑什么跑！有鬼在追你呀？"

豆芽儿知道他闯祸了,想过去,又不敢过去。这时,萧依依走过来,刚好看到这一切。她赶紧去帮老太太抓鱼。

"豆芽儿,你还愣着干什么? 快抓鱼呀!"

他们把鱼抓回老太太的菜篮里,有两条鲫鱼已经死了。

"这是给我孙子熬鲜鱼汤的,死鱼怎么熬汤呀? 哎哟,还有我的嫩豆腐,烂在地上,捡都捡不起来……"

老太太一把抓住豆芽儿的细胳膊:"走,上学校找你们老师去!"

"对不起! 对不起!"萧依依连连给老太太鞠躬。老太太的火气消了一大半,她指着萧依依对豆芽儿说:"瞧瞧人家,多好! 多懂事儿!"

萧依依又掏出五元钱:"老奶奶,这是我爸爸给我买书的钱,你看拿来赔你的鱼钱和豆腐钱,够不够?"

"好姑娘,有你这几句话,我哪能要你的钱呢? 快把钱收起来吧!"

老太太放开豆芽儿,教训道:"好好跟人家姑娘学着点儿,快上学去吧!"

豆芽儿跟在萧依依的后面,没话找话。

"萧依依,今天幸好遇见了你,要不那老太太……萧依依,你说,要我怎么谢你?"

"谢我?"萧依依笑嘻嘻地看着豆芽儿,"前几天,我书包里的那只小白鼠……"

萧依依故意不把话说完。

"怎么,你早知道?"豆芽儿紧张了,他拉着萧依依的衣

服,"萧依依,你总不会去告诉严老师吧?"

萧依依还是笑嘻嘻地看着他:"这要看你今后怎么表现!"

天会不会塌下来

你任何时候见到的任思思,她的眉头都是皱得紧紧的,好像一直在担心什么……

明天要去桃花沟野餐,所有的人都欢天喜地的,课也没心思上了,脑袋里想的全是明天去野餐的事。

课间更是热闹非凡,好像过节似的三五成群地凑在一块儿商量下午到什么地方去采购野餐的食物。

这么令人开心的事情,也没有打开任思思紧锁的眉头。她独自坐在自己的座位上,双手托着下巴,心事重重。

"任思思,下午跟我们一块儿去超市买东西吧!"

任思思懒洋洋地看了我一眼,她的眼神里充满了焦虑。

"夏雪儿,你说明天会不会下雨啊?"

我跑到窗子边,看见蓝天白云,晴空万里,便说:"明天一定也是这样一个好天气。"

"很难说。"任思思像我们经常在电影里看见的那些多愁善感的妇人一样,忧郁地摇摇头,"天有不测风云。"

任思思的一番话,把我喜悦的情绪撵走了一半。

下午,上了两节课就放学了。我和戴安、艾薇拉着任思思去了一家超市买明天野餐的食物。

一进超市，我们几个便提起篮子直奔摆放小食品的货架，把那些果冻布丁、咖喱薯片、五香牛肉干、蜜汁话梅直往篮子里装，只恨篮子太小，不能把所有的东西都装走。

只有任思思没动手，她仿佛对这些美味的食品熟视无睹，提着一个空篮子，怏怏地跟在我们的后面。

我们在收银台那里排队付款，戴安看着任思思的空篮子问："任思思，你怎么什么都没买呀？"

"如果明天下雨，学校就会取消这次野餐活动，你们买这么多东西，不就白买了吗？"

"任思思，你这人真没劲，扫兴！"

我们是乘兴而来，败兴而归，就是因为任思思的那几句话。

晚饭也没吃好，心里老想着明天会不会下雨。妈妈伸长了脖子问："明天去桃花沟玩，你不高兴啊？"

我说："明天要是下雨，怎么办？"

"下就下呗！"妈妈两手一摊，"难道我还把老天爷管住不成？"

"下就下呗！"爸爸也说，"雨中看桃花，别有一番情趣。"

我还是担心。

"如果明天下雨，学校取消了这次运动，买这么多的东西怎么办？"

"吃了呗，难道还扔了不成？"妈妈用很奇怪的眼神看着我，"雪儿，你今天怎么不对劲儿呀？老是杞人忧天的样子？"

我也知道我今天不正常，嘿，这都是任思思害的。

第二天,天空晴朗,阳光灿烂,根本没有下雨的迹象。

任思思还是眉头紧锁、忧心忡忡的样子。

"任思思,你看今儿的天气,肯定不会下雨,你还担心什么呢?"

"天是不会下雨了,可是我们要乘车去那么远的地方,路上会不会出车祸呀!"

"呸!呸!呸!"戴安生气了,"任思思,这么不吉利的话,你也说得出口,快收回去。"

说出来的话,就像泼出去的水,怎么收得回去?坐上去桃花沟的车,同学们一路高歌。我只是张张嘴巴,做做样子,"会不会出车祸"这个怪念头一会儿又冒出来了,想赶也

赶不走。

汽车安全到达桃花沟,一路顺风,什么事儿也没发生。

桃花沟的桃花漫山遍野,红的、白的、粉的连成一片,灿若云霞。

同学们一路走,一路看,还拍了不少照片,开心得不得了。

任思思不看树上的桃花,只看落在树下的桃花瓣,一路上唉声叹气。

我拉着任思思,要给她拍照:"你看这些桃花,开得多好呀! 我来给你拍张照吧!"

"开得好有什么用呢?"任思思伤感极了,"这些桃花很快会谢,从树上落在地上,最后烂成泥土。"

任思思的这番话,说得我也伤感起来。一想到这么美丽的花,花期却如此短暂,转眼就会消失,心里有说不出的惆怅。

戴安要给我照相,一直叫着"笑一点,笑一点",可是我怎么也笑不起来,戴安就说我假装林黛玉。

到了中午,野餐是自由组合,我、戴安、艾薇、欧亚菲和任思思一组。

戴安带着我们向桃树林深处走去。她说要找一个清静的地方,铺上桌布好好地吃,慢慢地吃。

"我不去了。"任思思转身就走。

"站住!"戴安拦住她,"你这是什么意思?"

任思思说:"在一个清静的地方,如果遇上坏人怎么办?连呼救别人也听不见。"

任思思态度很坚决,拔腿就往人多的地方走。

戴安带着我们,在桃树林里找到一片空地,铺上桌布坐下来。

除了戴安,我们几个都心神不安,吃东西的时候老是东张西望,看有没有坏人来。

在鲜花盛开的桃树林里野餐,应该是吃得很浪漫,很有情调的,结果,被"坏人"搅得浪漫没有,情调也没有,连那些东西的味道都没吃出来。

玩了一天,任思思一直都是很担心的样子。我们几个一直在琢磨:"她到底在担心什么?"

任思思说她在担心天会不会塌下来。

樱桃

YINGTAO DIDAI

地带

① 非常名言

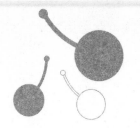

如果你的胸脯平平的，男生们会觉得你一点女性的魅力都没有。

——罗莉娜

喜欢读童话的人，是有灵性的人。

——冉冬阳

非常校园系列，非常明星人物，在你心目中最喜欢哪一个？一起来读读他们的非常名言吧！

为什么要向那些造谣中伤、心态不正的人屈服？

——戴安

我不管别人怎样，反正我不准爸爸妈妈离婚。

——莫欣儿

谁说商人就没有学问？我要先读大学，再做一个有学问的商人。

——梅小雅

② 樱桃联盟

在樱桃的庞大队伍里，不止有忠实的少年儿童读者，还能看到一些中学生、大学生甚至家长的身影呢。

一封家长的来信

尊敬的杨老师：

您好！

我的女儿非常爱看您写的书，常常看她阅读时，自个儿在那悠着乐，孩子读您的作品，身心愉悦，我这个妈妈也不免想读读您的作品，真是越读越喜欢。《漂亮老师和坏小子》是我和女儿最喜欢的，女儿非常渴望能求得您的签名，您能帮忙满足她的心愿吗？期盼！

不知孩子在信中和您说了什么，她说那是只可以说给杨阿姨听的秘密。呵呵，孩子说我和她有代沟，和杨阿姨没有，杨阿姨是老师，是米兰老师那样的老师，杨阿姨知道她的心声。

一个受到学生真心喜欢的人，最有资格做老师。

一个受到孩子真心喜欢的作家，定能破解童心。

祝写出更多更受欢迎的作品！

小读者薛睿的妈妈

③ **樱桃收藏**

"她最崇拜的人是杨红樱，最爱看的小说就是杨红樱的《淘气包马小跳》系列，她喜欢马小跳的善良纯真，不喜欢小大人丁文涛的那种冷漠、爱撒谎。"

——《钱江晚报》2010 年 7 月 6 日

亲爱的婉婷：

　　你的故事，是一个杭州的朋友在电话里讲给我听的。当时，我在云南，从昆明去大理的路上。当晚，我打开电子邮箱，看到朋友发来两张你的照片，一张是穿校服在雨中撑伞的，一张是穿粉红衣在家里的，两张照片的神态完全不一样，但都有一种震撼人心的美，让我永远记住了一个叫婉婷的女孩。

　　在云南的大理、丽江和文山，一路上，我都在讲你的美丽故事。而你，因为善良，成为那些少数民族——白族、纳西族、壮族、傣族、彝族的小朋友心目中最美丽的女孩。

　　在记者对你的采访中，你说，你最崇拜的人是杨红樱，最爱看的小说是《淘气包马小跳》，喜欢马小跳的善良、纯真，不喜欢小大人丁文涛的那种冷漠、爱撒谎。亲爱的婉婷，你不能想象，读到这段文字，我是多么的欣慰啊！我为你自豪。

　　婉婷，你马上就要上中学了，也就是说即将告别童年，我还是要送你一套你已经读过的《淘气包马小跳》。我还是要送你一套你也许没有读过的《笑猫日记》，作为你的童年的一种纪念。

　　最后，祝你开开心心过一个快乐的暑假！

　　　　　　　　　　　　　　　　你的朋友　杨红樱

最崇拜的杨阿姨：

您好！

阿姨，读了您的信，我对您的崇拜又加深了。是因为您的热情，也因为您的亲切，更为您那美丽的文字语言所感动。

现在想想，那时崇拜您，正是因为您的文字魅力，走进了我的心底吧！

阿姨，我觉得一定也有很多爱看您的书的朋友和我有一样的感觉。您的书是那么轻易地挑动了我们的心弦。

说到这儿，我想起了马小跳，您一定很爱他吧！我突然很羡慕他。他不仅有一个思想开放的老爸，一个天真妈妈，还有一个您这么美丽的"阿姨"！

我多么希望我是马小跳呀！虽然我只是众多"樱桃"中的一员，但是，我相信，是星星总有发光的时候！（不是骄傲，开个玩笑！）

希望您早日来杭州，我想握握您的手，看看您充满魔力的笔……

祝您万事如意，长命百岁！

最崇拜您的 最支持您的 曹婉婷

图书在版编目（CIP）数据

非常女生/杨红樱著. —杭州:浙江少年儿童出版社,
2011.1 (2011.7 重印)
（杨红樱非常校园系列　最新版）
ISBN 978-7-5342-6113-8

Ⅰ.①非… Ⅱ.①杨… Ⅲ.①儿童文学-短篇小说-作品
集-中国-当代 Ⅳ.①I287.47

中国版本图书馆 CIP 数据核字(2010)第 185185 号

杨红樱非常校园系列　最新版

非常女生

杨红樱/著

责任编辑　王宜清

内文插图　夏天岛

封面绘图　夏天岛

内文制作　天庐视觉

装帧设计　艺诚文化

责任校对　倪建中

责任印制　林百乐

浙江少年儿童出版社出版发行
地址：杭州市天目山路 40 号
浙江新华数码印务有限公司印刷
全国各地新华书店经销
开本 880×1180　1/32
印张 5.25　插页 5
印数 160001－210000
2011 年 1 月第 1 版
2011 年 7 月第 5 次印刷
ISBN 978-7-5342-6113-8
定价：16.00 元
（如有印装质量问题，影响阅读，请与承印厂联系调换）